恐怖の未解決ミステリー
Fear Unsolved Mysteries
謎と闇に覆われた
JR池袋駅山手線ホーム上 立教大生殺人事件……1996年4月
立教大学4年生、小林悟さんは「大学主催の就職セミナー」に
とJR池袋駅付近の居酒屋とカラオケ店でアルコールを飲み、
春日部市に帰るため、JR山手線外回り8番ホームへ向かう階段
その途中で悟さんはスーツ姿の会社員風の男と口論となる——
鉄人ノンフィクション編集部
TETSUJINSYA

神隠しのように姿を消した少年・少女、
会社を無断欠勤したまま失踪したサラリーマン、
最後の目撃証言、防犯カメラに映った怪しい人物、
殺害現場に残された不可解な証拠品、身元不明の遺体、
謀殺・他殺が疑われる謎の転落死、
原因不明のポルターガイスト現象、怪事件。
果たしてその真相は？
知れば知るほど背筋が凍る79のコールドケース。

第1章 消失／MISSING 日本人編

第2章 消失／MISSING 海外編

第3章 殺人の迷宮

第4章
不可解な死

第5章 怪現象

本書掲載の情報は2023年3月時点のものです。

第1章

消失/MISSING

日本人編

熊本県大津町・猪原修くん失踪事件

失踪から2年後に届いた犯行を告白する手紙の真偽

1973年7月3日15時頃、熊本県菊池郡菊陽町に住む猪原《いのはら》時光さん（当時42歳）の長男・修くん（同5歳）がこつ然と姿を消した。この日、猪原さんは出産のため隣町の大津町の産婦人科に入院していた妻（同42歳）を見舞うため修くんを連れ病院を訪れていたが、妻の診察中に修くんが行方不明に。同日20時頃、猪原さんが熊本県警大津署に失踪届けを提出し、約40人が病院近くの用水路や町内一帯を探したものの、手がかりは得られなかった。失踪時の服装は白い半ズボン、白の半袖Tシャツ、靴は下駄箱に預けられたままで、いなくなったときは素足だったと思われる。

それから2年後の1975年6月16日、両親のもとに衝撃的な告白文が届く。

「2年前の雨のひどい日、大津町内の東（旧国道57号線）で、雨のために車がスリップし、お宅の坊やをはねて殺した。当時は19歳で免許を習得したばかり。車も買って3日目で、運転も未熟だった。親に叱られるのが怖くなり、死体は3キロ離れた山中に埋めた。一度手紙を出そうと思ったができなかった。ご両親に対して、ただただ頭を下げるのみ」

消印は同県阿蘇郡阿蘇町内の赤水郵便局。差出人は不明ながら、封筒の差出人名個所には「ＴＹＣＫ」とだけ書かれていた。手紙は大学ノートの1ページを切り抜き、その片面に書き込まれたもので、宛先・

猪原修くん。生きていれば2023年3月現在、55歳

宛名・通信文とも、黒のボールペンを使い、筆跡を変えたカタカナ（一部漢字）で記されていた。また、封筒やノートの紙は共に投函前に油に浸した形跡があり、白い二重封筒はロウびき紙のように黄色く変色し、ツヤを持っていた。これは、指紋を消すために細工をしたものと推定される。

行方不明当日は、手紙にあったとおり雷がなるほどの大雨が降っていた。このことから警察は手紙の差出人が犯人である可能性が高いとにらみ、道交法違反、死体遺棄事件と捜査を開始する。それから半月後の同年7月2日、2通目の告白文が熊本北警察署に届き、遺体の遺棄場所の詳細が書かれていた。

「猪原夫妻が悲しんでいる様子をテレビで見て責められた。死体は大津高校の道を真っ直ぐ南へ行き、岩坂の三角を左に折れ、右へ上がった山の途中の右下の杉山に埋めた。犬が荒らしていなければそのままあるはずだ。3日で丸2年となり、自分も罪の償いをしたい」

捜査本部は手紙の記述をもとに、7月3日、大津町岩坂の杉山の周辺を広範囲にわたり掘り返す。が、有力な情報は得られず仕舞い。また、1973年6月に免許を取得し同じ頃に車を購入した50人のリストを作成し捜査に当たったが、ここでも成果が出なかった。果たして、手紙は本当に犯人から送られたものなのか。いたずらにしては記述が具体的で、油に浸すなどの工作も施されている。いずれにしろ今現在も、修くんの行方は掴めていない。

宇治市マラソン主婦失踪事件

半年後に起きた未解決事件「長岡京ワラビ採り殺人」と同一犯との噂も

1978年11月23日21時頃、京都府宇治市槇島《まきしま》でランニング中の主婦、前田昭子《まえだあきこ》さん（当時38歳）が行方不明になった。妻の帰りが遅いことを心配した夫からの届け出で警察が付近を捜索すると自宅近くの農道で血痕が見つかり、そこから200メートル離れた田んぼまで、あぜ道に血痕が点々と続き、人を引きずったような跡と複数の足跡も残されていた。流れ出た血液は1リットルあまりにものぼっており（血痕の血液型はO型で前田さんと一致している）、付近で交通事故の痕跡がないことから、京都府警は殺人・死体遺棄事件として捜査を開始。結果、いくつかの情報が得られる。

捜査に駆り出された警察犬が最後にたどり着いたのは、最初に血痕が発見された場所とは異なり、東西に走る未舗装の農道だった。前田さんが当日に限って違うルートを走ったとは考えにくい。さらに事件の2ヶ月前頃から、その未舗装の道で夜間、車が停められているのを付近の住民が目撃していた。車はライトを消し、運転席には男が1人佇んでいたそうだ。そして前田さんの失踪当夜にも怪しい車を目撃した人物が現れた。この目撃者は現場近くに住む男性会社員で、彼は事件当日の20時40分〜50分頃、血痕が残されていた農道を東に走っていた。男性の証言によれば、血痕が最後に残された辺りにサモアブルーと呼ばれるグレーがかった淡いブルーの車がヘッドライトを消し西向きに停まっているのを見たそうだ。農道の幅は狭く、男性はすれ違う際、減速して車内を確認したが中は無人。わかったのは、その車がコロナかギャランということと、後部トランクが開けられており中から幅の広い毛布のようなものがはみ出しナンバープレート近くまで垂れ下がっていたことの2点だった。警察は、車が犯人のもので前田さんを殺害後、遺体を毛布にくるんで逃走したものと推定。その後も捜査を続けたが、結局犯人の特定には至らず事件は今も未解決のままで宙吊りになっている。

本事件から半年後の1979年5月25日、宇治市から西に約17キロ離れた長岡京市の山中でワラビ採りに来ていた主婦2人の殺害遺体が発見された。2人とも手で首を絞められた痕や殴る蹴るなどの暴行の痕が数十ヶ所残されており、被害者の1人の右ポケットから発見されたレシートの裏面には「オワレている たすけて下さい　この男の人わるい人」と鉛筆でメモ書きされていた。この有名な未解決事件で京都府警は、ある事実を隠していた。実はワラビ採りに訪れていたのはパート先が同じ3人の主婦で、そのうちの1人が先に下山し難を逃れていたのだ。彼女が被害に遭わないよう警察その存在を明らかにしなかったとも考えられるが、それから5年後の1984年5月15日、この主婦もまた長岡京市の自宅で殺害された。首や背中を刃物を使用し刺殺された後、遺体に衣類や布団をかぶせ火をつけるという残忍な犯行で、当事件の犯人も捕まっていない。3つの未解決事件に直接の関連性はない。が、狭い範囲で4人の主婦が殺害された（宇治の主婦の遺体は未発見）ことから、巷では同一人物による猟奇殺人との噂も囁かれている。

広島市・下田実加ちゃん行方不明事件

早朝ジョギングに出かけた直後に失踪。現場に自転車と少量の血痕が

1983年10月25日早朝、広島県広島市安佐北区《あさきたく》に住む市立小学校5年生の下田実加《しもだみか》ちゃん（10歳）が家を出かけたまま行方不明になった。彼女は2ヶ月前から毎朝、学校のクラスメイトで同じバレーボール部に所属していた友人女子児童と2人で近所の道をジョギングしており、まず実加ちゃんが自宅から約1・5キロ離れた友人宅まで自転車で行き、ジョギングを終えた後、また自転車で帰宅し登校するのが日課だった。

失踪当日の朝はかなり寒く、実加ちゃんは防寒用のマスクをつけ、5時30分過ぎに家を出た。両親はいつもどおり、自転車で友人宅に向かう娘の姿を確認している。ところが、10分後の5時40分、一緒にジョギングする予定だった友人児童から「実加ちゃんがまだ来ない」と電話が入った。これを不審に感じた家族が付近を捜索したところ、自宅から700メートルほど離れた県道脇に実加ちゃんの自転車が放置されているのが見つかった。不安を抱きつつ、さらに捜索を続けると、今度は県道そばの広島バス小河車庫バス転回所で実加ちゃんが身につけていた防寒用のマスクが、さらにそこから1・5メートル横の路上に小指大の血痕が2ヶ所発見された。

午前7時30分、家族が警察に通報。広島県警可部《かべ》警察署（現・安佐北警察署）は状況から実加ちゃんが

実加ちゃんの行方は現在もSNSなどで広く情報の提供が求められている

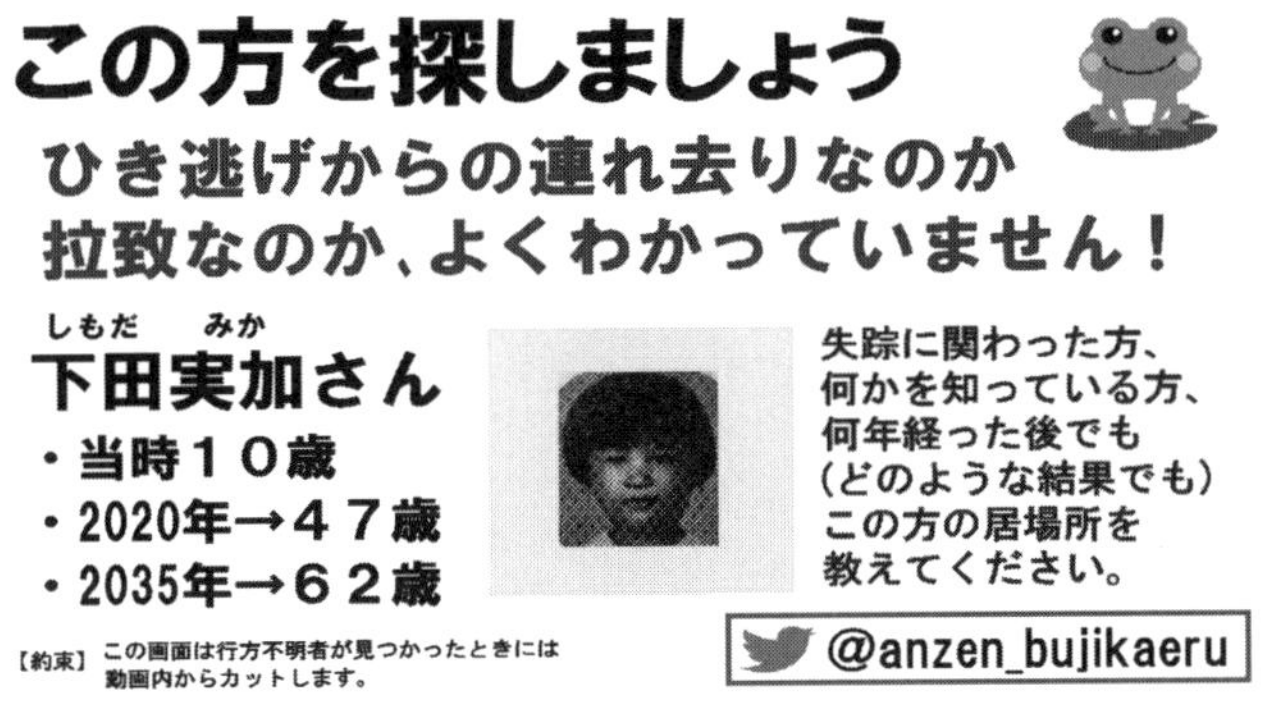
この方を探しましょう
ひき逃げからの連れ去りなのか
拉致なのか、よくわかっていません！
下田《しもだ》実加《みか》さん
・当時１０歳
・2020年→４７歳
・2035年→６２歳
失踪に関わった方、
何かを知っている方、
何年経った後でも
（どのような結果でも）
この方の居場所を
教えてください。
@anzen_bujikaeru
【約束】この画面は行方不明者が見つかったときには
動画内からカットします。

事件に巻き込まれた可能性もあると見て捜査を開始する。まず、マスクが落ちていた広島バスに聞き込みを行ったところ、数人の運転手から、朝5時40分頃にはバス転回所の入り口付近に自転車が転がっていたとの証言が得られた。そこで警察は実加ちゃんが家を出てまもなく自動車事故などのトラブルに遭遇、その時点で病院に運ばれている可能性も考慮し広島市内の病院に問い合わせを入れたものの該当者はいなかった。

警察は地元の消防団員ら約70人を動員して近くの山などを捜索するとともに、何者かに誘拐された疑いがあるとみて身代金要求の電話がかかってくることも想定した。しかし、事態には何の進展も見られず、時だけが経過。唯一、現在でも確認できる目撃情報は、現場付近に不審な茶色の乗用車が停まっていたというものだが、その車が実加ちゃん失踪と関連があるかどうかはわかっていない。

実加ちゃんはどこに消えたのか。自転車の破損がないことや血痕が少量だったことから大きな事故に遭遇していないことは間違いない。であれば、何者かが確信的に連れ去ったのか。真相は謎に包まれ、現場には今も情報提供を求める看板が設置されている。

長岡市・中村三奈子さん失踪事件

韓国行きの航空チケットを予約したハスキーボイスの女と事件の関連は？

1998年4月6日朝、新潟県長岡市に住む小学校教師の中村クニさん（当時55歳）が、娘の三奈子《みなこ》さん（同18歳）に声をかけ家を出た。仕事を終え帰宅したのが19時頃。なぜか家は真っ暗で、三奈子さんの姿がない。どこか買い物にでも行っているものと思い、クニさんは町内の集まりに参加し20時頃に帰宅したが、まだ家は暗いままで三奈子さんもいなかった。不安を覚え、三奈子さんの行きそうな場所を探し歩いたものの、娘は見つからない。それでも、三奈子さんの部屋の下着や衣類は手つかずで、いつも持ち歩いていた鞄や毎日塗っていたアトピーの軟膏もそのまま置いてあったことなどから、はやる気持ちを抑え1日待った後の8日朝、クニさんは警察に出向き事情を話す。が、「財布だけ持って出たなら2、3日で戻ってくるでしょう」と取り合ってもらえなかった。

クニさんは改めて三奈子さんの部屋を確認した。すると、チラシの下から「3万円借りました。私の通帳から下ろしてください」という手書きのメモが見つかる。当時、三奈子さんは新潟県立長岡高校を卒業したものの国立大学の受験に失敗、4月から地元の予備校に通う予定で、その入学金50万円をクニさんから現金で渡され封筒に入れていた。封筒を確認したところ、確かに3万円だけ失くなっている。さらに、部屋のゴミ箱から細かく千切れた紙片が見つかった。一つ一つ繋ぎ合わせると、新潟県庁にある売店が発中村三奈子さん（左）と母クニさん。
父親は他界しており、失踪当時は二人暮らしだった

行した証明写真のレシートということがわかり、ほどなくそれがパスポートを取得した際のものだと判明する。自宅近くの出張所ではなく、電車で片道1時間以上かかる県庁まで出向いたのはなぜか。県庁のパスポート発給手続きは出張所より約1週間早い。ということは、三奈子さんはパスポートをすぐにでも取得したがっていたことになる。ちなみに、未成年者のパスポート取得には保護者の承諾が必要だが、三奈子さんは以前、図書館のカードを作る際にクニさんから借りた保険証を返さずそのまま持っており、パスポート申請手続き用紙の保護者欄には、本人が自筆で母親の名前を記入していた。そこには、明らかに〝意思〟が働いていた。

　三奈子さんがパスポートを作っていたことがわかり、クニさんは新潟空港や旅行会社などをくまなく尋ね情報を集めた。結果、1ヶ月後の5月7日、三奈子さんが失踪した翌日の4月7日に午前9時40分発の韓国行き、そして1週間後に日本に戻るための航空チケットを予約していたことが判明する。予約の電話があったのは、失踪3日前の4月3日。そのとき対応した旅行会社のスタッフによれば、電話口の声は25歳前後と思しきハスキーボイスの女性で、かなり急いだ様子で「明日、明後日でもなるべく早く行ける

韓国行きのチケットがほしい。韓国には行ったことがあるのでホテルなどの手配は必要ない」と言ったそうだ。また、渡航当日、空港の団体カウンターでチケットを受け取った女性は派手なブラウスを着ていたという。三奈子さんは韓国どころか海外に出かけたことは一度もなく興味を示したこともなかった。また、その声はハスキーボイスとはかけ離れた甘いもの。好んでいた服装も母親のお下がりなど落ち着いた色で、失踪当日も紺色のパーカーだった。こうした状況から、電話をかけたのもチケットを受け取ったのも、三奈子さんとは別人物の可能性が高い。

しかし、三奈子さんは間違いなく韓国に渡っていた。後に母親クニさんが、韓国・金浦《きんぽ》空港で提出された入国カードに記された文字が、三奈子さん本人のものであると確認したのだ。また、座席名簿から、三奈子さんの席は3人がけの窓際で隣は空席、通路側にハスキーな声で派手な服装を着た女性が座っていたこともわかった。

この女性の身元も判明している。長岡市に住む韓国出身のAさん。彼女は1970年代に日本人男性に嫁ぎ日本に帰化、韓国式の寺院を建て宗教法人を設立し、その代表を務めている人物だった。後に事情を聞かれたAさんは1998年4月7日に渡韓したことは認めたものの、目的は韓国式の寺を建てるための

三奈子さんが韓国行きの飛行機に搭乗したと思われる
1990年代の新潟空港

情報提供を求めるチラシ

視察旅行で、飛行機には設計士ら3人と搭乗、三奈子さんのことは一切記憶にないと答えている。が、彼女の知人からは、Aさんが「日韓ワールドカップ（2002年）が終わった頃に日本で行方不明になった女性について取り調べを受けた。その女性と金浦空港の出口に一緒に出た。空港には男女2人が迎えに着た。ほんの少ししか謝礼金をもらっていなのに、こんなことになった」と文句を言っていたとの証言も出ている。

真偽のほどは定かではないが、三奈子さんの失踪にAさん、もしくは第三者が何らかの形で関与していることは疑いようがない。三奈子さんはパスポートの有効期限が切れた2003年、特定失踪者問題調査会から北朝鮮による拉致の可能性を排除できない特定失踪者とされた。一方、母親のクニさんはその後、三奈子さんが入国した可能性のある韓国を幾度も訪問。娘の情報をハングル語で記したチラシを配ったり、新聞やテレビにも協力を仰ぎ三奈子さんを探し続けている。2023年3月現在、その消息はわかっていない。

千葉市・杵渕さん夫婦失踪事件

防犯カメラに映ったニセ警官に殺害された疑い濃厚

2001年5月18日（金曜）、千葉県千葉市若葉区貝塚町に住む会社員の杵渕清《きねふちきよし》さん（当時59歳）と妻の郁子《いくこ》さん（同54歳）が行方不明になった。夫婦は事件に巻き込まれた可能性が高く、その消息は現在も不明のままだ。

失踪の兆しは3日前から起きていた。15日午前8時頃、郁子さんからパート先のスーパーの上司に「警察が家に来るので今日は休ませてほしい」と電話が入った。なんでも〝千葉県警科学捜査研究所のヒロナカ〟を名乗る男が自宅を訪れ「付近で逮捕された2人組の空き巣グループが杵渕さん宅を狙っている。まだ逮捕されていない仲間が今後犯行に及ぶ可能性がある」などと話し、清さんが埼玉県三郷市の勤務先から帰宅する寸前の19時30分頃、家を出て行ったそうだ。翌16日、自称警察官の男が再び杵渕さん宅を訪れ「近所で空き巣が入ったが逮捕間際で取り逃してしまった。被害に遭ったときすぐに警察に届けを出せるようにしておく必要がある」と、郁子さんに持参した被害届の提出を迫った。彼女は言われるまま届け出用紙に個人情報や口座情報を記入。さらに男に「銀行口座を全て教えてくれれば、毎日その口座に動きがないか確認する」と言われ、通帳や印鑑も確認させてしまう。17日午前8時頃、郁子さんはパート先へ「また警察が来ているから出勤が遅れる。12時を過ぎたら欠勤にしてほしい」と電話を入れ、結局この日

行方不明になった杵渕さん夫婦の情報を記したチラシ

探しています!!
千葉 54
な 5471
車種 マツダ ファミリア 色 シャンパンシルバー
5月18日(金)の夜頃から自動車と共に行方不明です。
どなたか見かけた方はいませんか？
特徴 年齢 59歳 身長 約160cm 体型 筋肉質 顔 しっかりした輪郭 体重 約62kg
特徴 年齢 54歳 身長 約159cm 体型 中肉中背 顔 やせ顔 体重 約53kg
[連絡先]
千葉東警察署 043-233-0110
E-mail : sousaku110@hotmail.com
どんな些細な情報でも結構です。ご協力宜しくお願い致します。

は欠勤する。一方で、欠勤した郁子さんが近所のテニスコートをぼんやり眺めていたとするテニス仲間からの目撃証言があり、彼女が思いつめた様子だったため声をかけられなかったという。

そして18日、清さんが出社のため家を出た1時間後の午前8時頃、郁子さんからパート先のスーパーに「30分遅れます」と電話が入る。が、9時20分頃、今度は清さんを名乗る男が「親戚に不幸があったので、妻は2、3日休みます」という電話がかかってきた。電話に出た従業員が上司に取り次ぐか尋ねたところ、男は「結構です」と断ったという。心配した上司が10時過ぎに杵渕さん宅を訪ねインターフォンを押すも応答はなし。そこで、家の裏手側から中を覗きこもうとしたところ、家の左手に1人の男が立っており顔が合った途端に脇を向いた。男の身長は160～170センチで、年齢は60歳前後。顎が角張った短髪。上司は本当に警察官が杵渕さん宅を見張っているものと思い会社に戻ったそうだ。

同日13時45分頃、千葉駅前の銀行に

杵渕清を名乗る男が現れ、通帳や印鑑を使い清さん名義の定期預金を解約し、約３５０万円を持ち去る。不審な男の姿は防犯カメラに残っており、野球帽にメガネ、年齢は50～60歳と確認できるが、斜め下を向いているため人相ははっきりしない。18時過ぎ、清さんは会社を出て、そのまま行方不明となる。が、20時頃、近隣住民が杵渕さん宅から大きな物音がするのを耳にし、また同時間帯に郁子さんの友人が電話したところ、男が出て「今伏せっています」と答えたという。

4日後の22日（火曜）夕方、2日連続で無断欠勤した清さんを不審に思った上司が自宅を訪れる。呼び鈴に反応はなく、郵便物が溜まっているなど様子がおかしかったことから警察へ通報。警察は栃木県にいた清さんの長男にも連絡し、22時頃に共に家の中へ入った。屋内に杵渕さん夫婦の姿はなく荒らされた形跡もなかったものの、廊下と風呂場で大量の血痕が発見される。後のＤＮＡ鑑定で廊下の血痕は清さん、風呂場の血痕は清さんと郁子さんのものと判明。２人が事件に遭遇したことは明らかだった。

千葉県警は家のガレージから消えていた夫婦の自家用車マツダ・ファミリアの行方を追跡し、以下の事実を掴む。５月19日午前2時頃に千葉市内で国道３５７号を木更津方面へ南下し、同日16時頃に東京のＪＲ錦糸町駅付近、さらに埼玉県戸田市の美女木ＩＣから高速に乗り、19日19時頃に長野県の佐久《さく》ＩＣで降車。その後、約13時間の空白があり、20日の午前8時頃に長野自動車道の塩尻ＩＣ付近を通過し20日午前10時頃に愛知県の小牧東ＩＣを降りていた。この記録から警察は愛知県内を捜索し、失踪から4ヶ月以上が経過した２００１年9月26日に市民の通報により名古屋市名東区内の路上で車を発見。車内から夫婦の持ち物とみられるテニスラケット数本や衣類の入った手提げ鞄が見つかり、後部座席から尿反応、トランクから夫婦の血液反応が確認された。ちなみに、車内の指紋は全て拭き取られていたそうだ。

夫婦が防犯カメラの男に自宅で殺害され、車で遺体を運ばれ捨てられた疑いは濃い。では動機は何なのか。後に警察が郁子さんのパソコンから削除されたメールを復元したところ化粧品のマルチ商法絡みで送信したものが100通以上あり、彼女が100万円単位の金を誰かに貸しているという情報を近隣住民から掴んだ。ということは金絡みの犯行なのか。また、失踪2日前の5月16日午前7時37分に郁子さんが同僚へ以下の不審なメールを送っていたことも判明している。

【件名：お元気ですか？　最悪よ】

【本文】ちょっと事件があって、私の人生で3本の指に入るほどつらい事で困っています。今日も出勤しようか迷っている状態です。昨日1日でげっそりしました。仕事の方は、これから頭に入るかどうか？　頼りは◯◯さん。よろしくお願いします。杵渕より】

これが何を意味するのかわかっていないが、送信先の同僚がメールを確認したのは22日。同僚は夫婦失踪前に気づかなかったことを後悔しているそうだ。事件の真相は闇に包まれたまま現在に至っている。

杵渕さん名義の口座を解約した際、
銀行の防犯カメラに映った犯人の姿

岡山県賀陽町・小林雅尚ちゃん失踪事件

祖母が目を離したすきにこつ然と姿を消した1歳10ヶ月の男児

2001年10月25日、岡山県賀陽町《かようちょう》（現・吉備中央町）で、当時1歳10ヶ月の小林雅尚《こばやしまさなお》ちゃんが行方不明になった。雅尚ちゃんは岡山市で自営業を営む当時29歳の父親の次男だったが、2週間ほど前から母親が体調を崩し入院していたため、賀陽町の祖父母宅に当時4歳の兄（長男）と共に預けられていた。

この日、雅尚ちゃんは午前10時過ぎから祖父母宅の裏庭で2匹の飼い犬と一緒に遊んでいた。このとき祖母は兄弟から5〜10メートルの場所で小豆を取る作業をしており、同時刻に兄弟の姿を確認している。が、10分ほど経過し裏庭に再び目をやると、なぜか雅尚ちゃんの姿がない。兄に聞いても、よくわからないという。犬が吠えた様子もない。周囲を探したものの見つからず、午前10時30分に警察に通報。駆けつけた警察と近所の住民が辺りの草を全て刈り、周辺の納屋内、用水路、マンホール内なども隈なく捜索する。が、雅尚ちゃん本人はおろか遺留品すら発見できず、捜索に投入された警察犬も祖父母宅の裏庭から町道に出てすぐに匂いを見失った。

祖父母の自宅は、山林の裾に広がる畑の中に建つ一軒家で、周辺の地形は急勾配で大人でも登り下りするのが大変な場所。そんなところを2歳にも満たない幼児が遠くまで移動するとは考えにくい。そこで、警察は警察犬が匂いを見失った町道で何者かに車に乗せられ連れ去られた疑いがあるとみて、聞き込み捜小林雅尚ちゃん。生きていれば2023年3月で22歳。
現在の連絡先は岡山北警察署（TEL 0867-24-0110）

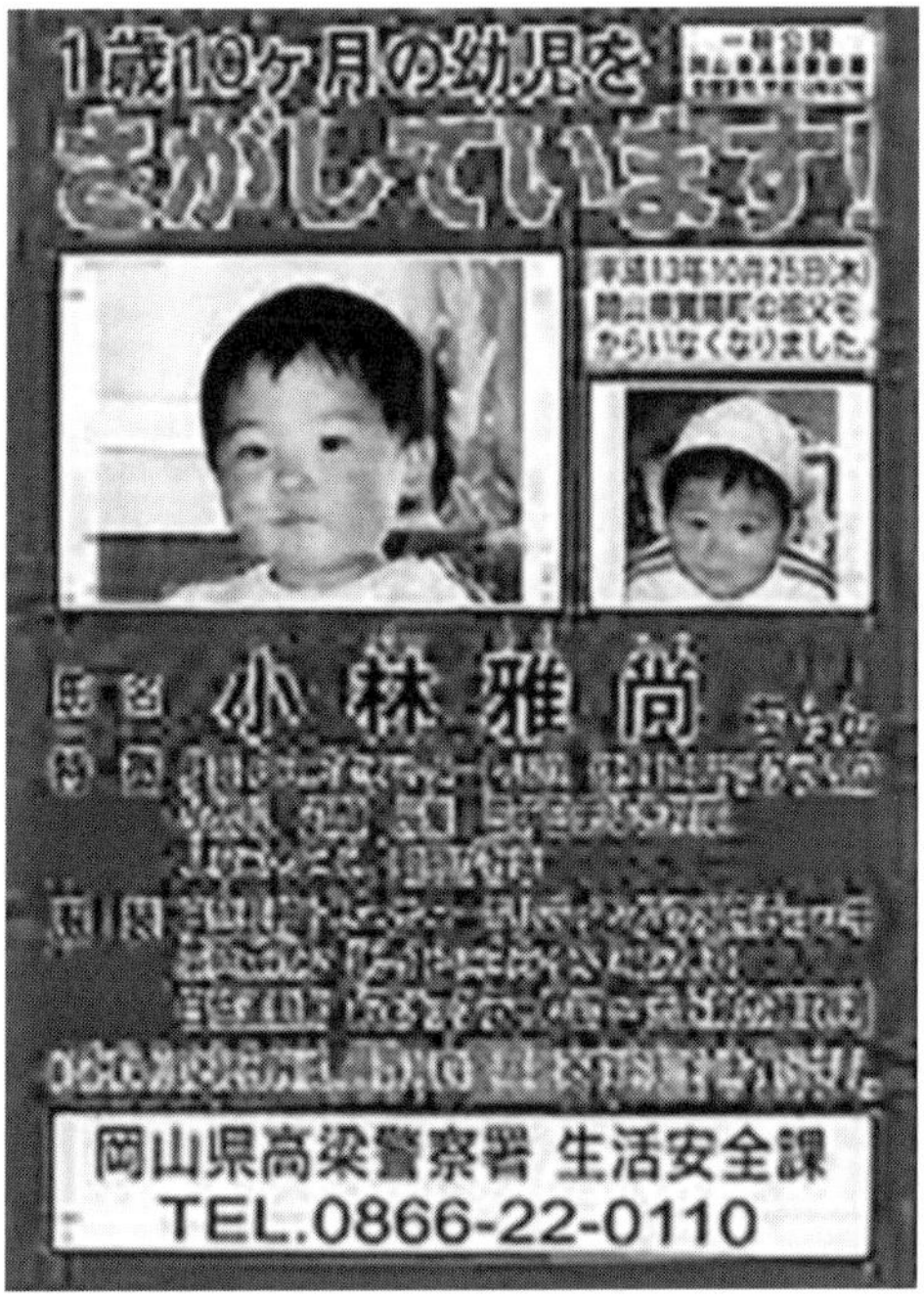

査を開始。すると、雅尚ちゃんが姿を消したと思われる時間帯に2台の車が町道を通過していたことがわかったが、どちらも事件とは全く関係がないことが判明する。まさに神隠しのような事件はその後、テレビで幾度か取り上げられ複数の霊能者が透視を行ったものの何の手がかりも得られず、ネットでは雅尚ちゃんが町道に出たところで、突如空から襲ってきたタカやワシなどの猛禽類に捕獲された可能性も指摘されている。

雅尚ちゃんは失踪当時、身長約83・5センチ、体重14キロ程度、上衣は白色の長袖トレーナーとキルティングの水色のチョッキ、下衣は茶色のズボン（サイドに白のラインが2本）で、白色の運動靴（マジックテープ式、赤と緑の縁取りあり）を履いていたそうだ。また、体型は小太り、丸顔、長髪、ヨチヨチ歩き、人懐っこい性格で動物が好きだったという。

茨城県小川町・大高保さん失踪事件

独身1人住まいの男性が自宅に大量の血痕を残し行方不明に

２００１年10月29日、茨城県小川町（現・小美《おみ》玉《たま》市）に住む会社員の大高保《おおたかたもつ》さん（当時58歳）の行方がわからなくなった。自宅には事件の関与を伺わせる証拠が数多く残っており、何者かに殺害された可能性も大いにある。

大高さんは失踪の5年前、小川町に木造平屋建ての家を建て１人で暮らしていた。自宅は周囲を畑に囲まれており、一番近い家でも50メートル以上離れていた。失踪３日前の10月26日、勤務先を退社した後、自宅とは反対側の玉里村のパチンコ店に立ち寄り21時30分頃に店を出たことがわかっているが、これ以降の足取りは不明。ただ、27日午前5時過ぎ、大高さん宅前を通りがかった牛乳配達員が、自宅前に大高さん所有のトヨタ・カリーナが停められており、普段は照明のついていない時間帯にもかかわらず勝手口から灯が漏れ出ているのを目撃してい

消息不明の大高保さん。
すでに殺害されている可能性も高い

ることから、このとき大高さんは自宅にいたものとみられている。

10月29日朝、会社を無断欠勤し自宅に電話しても出ないためため、上司が妹に連絡を取ったうえで自宅を訪ねたところ、部屋に大高さんの姿はなかった一方、大量の血痕が残され、車も消えていた。ただ事ならぬ事態に通報を受けた警察が駆けつけると、勝手口のガラスが2ヶ所割られ、ガラスが飛び散らないよう粘着テープが貼られていたことが判明。また、居間にあったコタツ布団や壁などに大量の血痕が付着、カーペットには直径40センチの円状になった血痕が残されており、勝手口に向かって血痕が延々と続いていた。鑑定の結果、血痕は大高さんと同じA型と判明する。その他、引き出しに荒らされた形跡があり、銀行通帳なども無くなっていたことから、警察は何者かが26日の深夜から朝方にかけ強盗目的で押し入り室内で大高さんを襲撃、身柄を連れ去ったものと推定し、捜査を開始する。

ただ、大高さんは身長174センチ、体重74キロと大柄。にもかかわらず、現場には体を引きずった跡がなかった。何者かに連れ去られたとすれば複数犯であることが考えられ、それを裏づけるように、居間から大きさの異なる2種類の靴跡が数十ヶ所も見つかった。さらに、屋外の電話線が切断されていたことから犯行は突発的なものではなく、大高さんを狙い用意周到な準備のもと実行された可能性が強いことがわかる。もっとも、大高さんは実直な人物で職場での信頼も厚く、プライベートでは病気の母と姉を献身的に介護するなどトラブルとは無縁の人物だった。

その後、警察はNシステムを調べ、大高さんの車が10月27日に茨城県北部を北上し、28日には宮城県内を走行していることを掌握。同時に、27日午前9時20分頃、茨城県水戸市内のATMで大高さんの銀行口座から約200万円が引き出されていたことを突き止める。行内の防犯カメラに映っていたのは帽子にマスク姿の男で、映像を見た大高さんの妹は「兄ではない」と断言（警察はなぜかこの映像を公開していない）。男が暗証番号を一度も間違えることなく現金を引き出していたことから、事前に大高さんから番号を聞き出していたものと推測された。

事態が動くのは、警察が公開捜査に踏み切った（11月1日）翌月の12月20日。仙台駅西口の駐車場で大高さん所有のカリーナが発見された。雪が10センチ以上も積もった状態で放置されているのを管理者が不審に感じ宮城県警に届け出たことで発見に繋がったのだが、車内に大高さんの姿はなし。ただ、トランク内にシートが敷かれており、そこに残された乾燥した血痕もやはり大高さんと同じA型だった。

警察はその後も捜査を継続したものの、有力な手がかりは得られなかった。一部には大高さんが失踪の少し前に行きつけのパチンコ店で9万円ほど勝っていたとの報道があり、店で知り合った人物が大高さんが独身で庭付きの家に住んでいることを知り犯行に及んだという説も流れているが真偽不明。また、犯行手口が似ていることから、本書18ページで取り上げた「千葉市・杵渕さん夫婦失踪事件」の同一犯との噂が流れているものの、こちらも確かなことはわかっていない。

一宮市・佐野由香利ちゃん失踪事件

日記に書かれていた「おじさん」が事件に関与している可能性も

2001年11月12日、愛知県一宮《いちのみや》市萩原町に住む市立中島小学校4年生の佐野由香利《さのゆかり》ちゃん(当時10歳)が行方不明になった。彼女は三人姉弟の末っ子で、この日の16時30分頃、集団下校で帰宅。玄関先で中学1年の兄(同13歳)に「友だちの家に遊びに行く」と言って家を出たままこつ然と姿を消す。このとき、友だちの名前は口にしていなかったそうだ。

未だに行方がわからない佐野由香利ちゃん(失踪当時10歳)

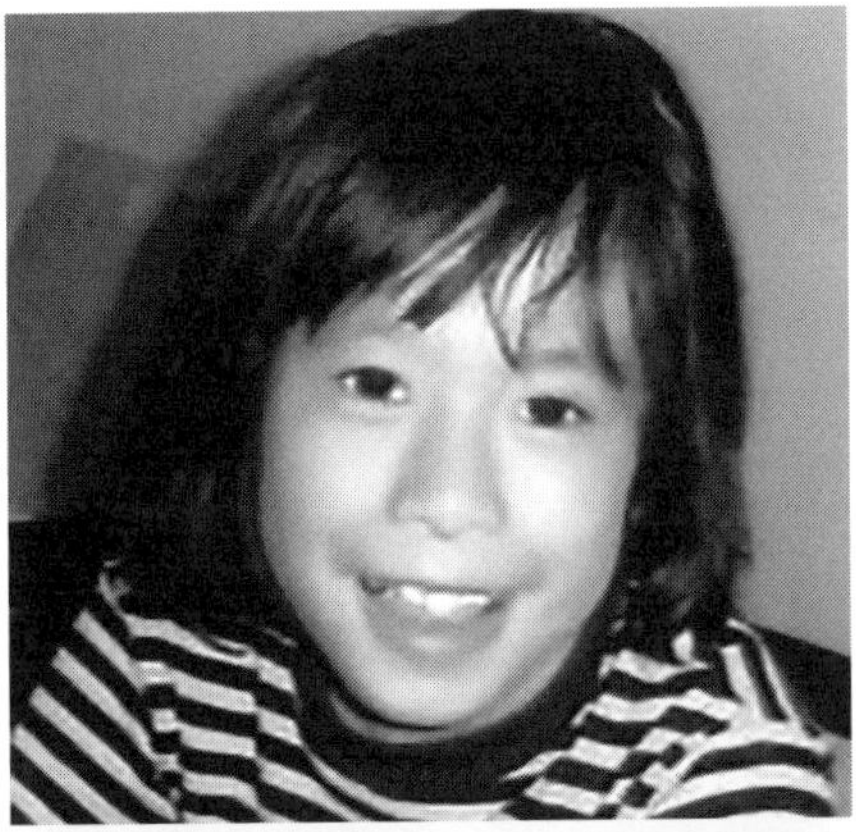

失踪時、由香利ちゃんは身長約135センチ、体重約25キロ、やせ型で顔は面長、黒髪で肩までの長さ。服装は紺色の三つボタンの制服、黒色ズボン、丸首トレーナーで運動靴を履き、リュック代わりに使用していた登校用の赤いランドセルを背負っていた。

自宅から500メートルほど離れた路上で、新聞店の女性店員と顔を合わせ「おばちゃん、仕事終わったの？　今日は寒いね」と声をかけたのが17時10分頃。女性は「うん、寒いね。早くお帰り」と返したそうだ。17時30分頃、自宅近くを歩く姿を目撃されており、18時頃、自宅から約100メートル離れた友人宅へ。遊びに誘ったが、「今日はもう遅いので遊べない」と断られている。その後、自宅とは逆方向へ歩いているのを近隣住民が見ており、これが最後の確実な目撃証言となった。

遊びに出かけても普段は18時半には帰宅していた娘が戻ってこないことを心配した母親が翌13日13時頃、愛知県警稲沢署に失踪届を提出し、14日朝から通学路や自宅周辺の捜索が始まる。同日18時半頃、そろばん塾帰りの同じ小学校に通う小5の女児がコンビニ前で由香利ちゃんらしき後ろ姿の少女を見かけ、「由香利」と声をかけたが、少女は目が合った途端、慌てたように走り去った。この少女が由香利ちゃんだったかどうかは不明で、さらに夜にも自宅から約800メートル離れたコンビニ前で、由香利ちゃんに似た女の子が複数の住民に目撃されているが、これも確証はなし。その後も警察は捜索を続けたものの、有力な手がかりは得られず仕舞いだった。

一方、警察は由香利ちゃんの自宅から彼女の日記帳を見つけ注目する。そこには「トラックのおじさ

由香利ちゃんが通っていた一宮市立中島小学校

ん」や「近所のおじさん」など複数のおじさんが登場し、中には家に上がり込んだおじさんがいることも記されていた。母親の証言によれば、由香利ちゃんは誰にでも話しかける人懐っこい性格で、知らない人に小遣いをもらったり、声をかけられて他人の車に乗ったこともあったという。こうした状況から警察は「おじさん」が失踪に関与している可能性もあるとみて、自宅近くの県営住宅に住む、該当すると思しき複数な男性に対し徹底的な聞き込みを行ったが、有力な情報は得られなかった。

失踪から22年。愛知県警はこれまで行方不明になった周辺現場で延べ約1万5千人以上の捜査員を投入し捜索している。その間、「名鉄電車でよく似た子がいた」など愛知県内での情報提供も複数あったが、いずれも解決に繋がるものではなかった。由香利ちゃんが自分の意思で家出する理由はどこにもない。であれば、やはり何者かに拉致されるなど事件に巻き込まれた可能性を疑ってしかるべきだろう。いま現在も愛知県警一宮署は由香利ちゃんの行方を追って捜査を続けている。

花巻市・小原キミ子さん失踪事件

屋内から「助けて!」の悲鳴が。行方不明2日後に本人の車発見

2001年11月13日午前10時過ぎ、岩手県花巻市高木に住む小原《おばら》キミ子さん（当時48歳）方からガラスの割れる音と、キミ子さんと思われる「助けて!」という悲鳴が聞こえた。近所に住む主婦らが駆けつけると玄関のガラス戸のうち2枚が割られ1枚が粉々になっていた。警察が現場に到着したのが13時半頃（なぜ、悲鳴から通報まで3時間以上かかったのかは不明）。通報を受け、警察が現場に到着した彼女が普段使っている軽乗用車もなくなっていたうえ、割れたガラスから数ヶ所血液反応が確認された（後の鑑定でキミ子さんと同じA型と判明）。

警察の聞き込みにより、悲鳴が聞こえてまもなく小原さん宅前を車で通りがかった男性がおり、ガラス戸の割られた玄関の奥に水色のトレーナーを着て、泣きじゃくるような表情の人物が横たわっているのを見たとの証言が得られた。この人物がキミ子さんだった可能性は高いが、確証は得られていない。また、そのとき屋内にいたと思われる子供がどんな証言を行ったのかもわかっていない。

彼女が事件に巻き込まれた疑いが濃いとみて警察が捜査を開始したところ、15日午前5時25分頃、小原さん宅から1・5キロほど離れた県立花巻厚生病院の駐車場でキミ子さん所有の無人の軽自動車が発見され、車内から本人の財布、免許証、携帯電話が見つかった。荒らされた様子はなく、携帯電話の通話記録

にも不審な点はなかったそうだ。病院の警備員が14日の21時過ぎと15日午前1時過ぎに巡回した際に車がなかったことから、それ以降に停められたものと推定される。

キミ子さんは、失踪前年の２０００年2月頃に夫と別居し、子供2人を連れて現場住宅へと引っ越してきた。人間関係のトラブルなどは確認されなかったものの、夫とは離婚をめぐり民事訴訟にまで発展しており、その夫が事件発生当日にキミ子さん宅周辺の空き地に自ら所有するワゴン車を停めていたことが判明した。当然のように疑いは夫に向けられ、警察は本人から事情を聞いたり、夫婦がかつて共に暮らしていた東和町《とうわちょう》（２００5年に花巻市に合併）の住宅の家宅捜索も行ったが、特に不審な点はなかったようだ。

キミ子さんはどこに消えたのか。まだ生きているのか。それとも、すでにこの世にいないのか。担当する花巻警察署は現在も彼女の行方を探すとともに、一般から広く情報提供を求めている。

小原キミ子さんの情報を記した手配書

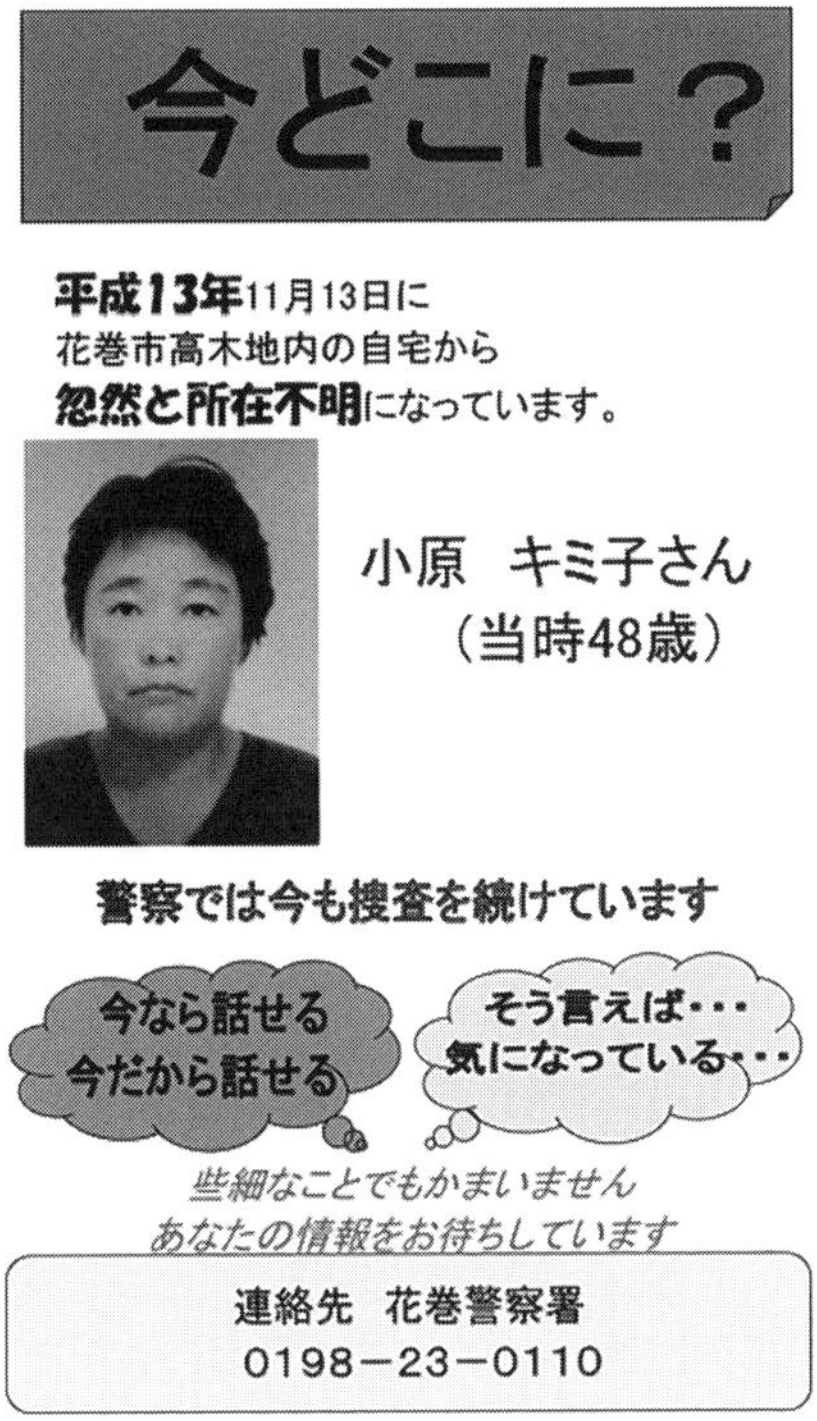
今どこに？
平成13年11月13日に
花巻市高木地内の自宅から
忽然と所在不明になっています。
小原　キミ子さん
（当時48歳）
警察では今も捜査を続けています
今なら話せる
今だから話せる
そう言えば・・・
気になっている・・・
些細なことでもかまいません
あなたの情報をお待ちしています
連絡先　花巻警察署
0198－23－0110

大阪府職員・高見到さん失踪事件

削除されたメールの履歴、謎の侵入者、足が映った不思議なビデオ

２００３年10月６日、大阪府商工労働部の行政職としてデザイン研究センターに勤務する高見到《たかみいたる》さん（当時43歳）が職場を無断欠勤した。心配した上司が兵庫県尼崎市の阪急塚口駅に近い自宅マンションを訪ねたものの応答がなかったため交番に連絡。尼崎北署は東京に住む高見さんの弟の了解を得たうえで、高見さんの自宅へ捜索に入る。室内には誰もおらず、荒らされた形跡もない。翌７日も高見さんが出社しなかったことから、弟を介して静岡に住む父親に連絡が入り、父親がその日のうちに上司とともにマンションを訪れた。テーブルの上に新聞と雑誌が置かれ、通帳やキャッシュカード、印鑑、運転免許証、健康保険証なども残されたままだったが、財布と手帳、通勤用の定期券、パソコン、家で使っているメガネが失くなっていた。

上司の勧めもあり、父親はその日のうちに尼崎北署に捜索願を提出。警察が高見さんの行方を追うべく銀行の履歴を調べたところ、失踪前日の５日15時14分に、りそな銀行塚口支店のＡＴＭで現金21万円を引き出していることがわかった。また、部屋からなくなっていたパソコンが後日、知人の事務所から発見され、失踪前後のメール履歴が削除されていたことも判明。さらに、父親が部屋の入り口に細工を施し１週間後に再び訪れたところ、何者かが侵入した形跡があり、残された手帳から数ページが抜き取られていた。

ただ、これらが高見さん本人が行ったものなのか、他の人物による仕業かは不明である。

父親によれば、高見さんは12月に行われる予定だった母親の13回忌に「必ず出席する」と話していたそうだ。職場の人間も、彼が自発的に蒸発する兆しはなかったと証言している。では、なぜ高見さんは消えたのか。その後、父親はメディアに積極的に露出し、息子の情報提供を募った。そこで着目されたのは、テレビの公開捜査番組に出演した際、高見さんのマンションから人の足ばかりが映ったビデオが発見されたと明かしたことだ。どうして、そんな奇妙なビデオが？　ネットでは様々な憶測を呼んだが、後に高見さんが幼い頃から『足のうらをはかる』という本を読み、人の足を研究していたとの情報も出て、これが失踪と関係があるのかはわからぬままだった。

事件から6年後の２００９年、父親はメディアの取材に応え「失踪の原因についてはある程度わかったが、所在については全く不明である」と話した。父親が何かしらの事情を掴んでいるものとも思われるが、具体的なことは語らぬまま２０１５年11月に死亡。高見さんの行方も２０２３年３月現在、判明していない。

高見到さん。
生きていれば2023年3月現在63歳

盛岡市・滝村隆規くん行方不明事件

2回迷子になり、3回目で消失した7歳の少年

２００７年2月5日、岩手県盛岡市前九年《ぜんくねん》の館坂橋《たてさかばし》から約２００メートル下流の北上川河川敷付近で、雪遊びをしていた県立みたけ養護学校小学部1年で同市中太田に住む滝村隆規《たきむらたかのり》くん（当時7歳）の行方がわからなくなった。隆規くんはこの日、養護学校が学校行事の振替休日だったため、午前11時頃から、障害者支援を行っているＮＰＯ法人「六等星《ろくとうせい》」の男性職員１人に引率され、他の児童２人とともに雪遊びをしていた。途中、１人の児童が館坂橋方面に離れたため男性職員がその場を離れ、児童を連れ戻したのが11時40分頃。目を離した時間はほんの数分程度だったが、河川敷から隆規くんがこつ然と消えており、その後1時間ほど他の職員と付近を捜索したものの発見に至らず、警察に捜索願を提出する。

隆規くんが遊んでいた河川敷と北上川との間には子供なら通り抜け可能な約80センチのガードレールが設置されていた。また、近くには北上川から県道側に向かって流れる排水路があり、ここに置かれたガードレールも子供が入れる隙間があった。このことから警察は隆規くんが北上川や近くを流れる雫石川周辺に転落した可能性もあるとみて、１２０人体制でヘリやボートで川一帯を捜索。近くの空き家も調べたが、本人はおろか手がかりにつながるものは一切見つからなかった。ちなみに、隆規君は２００６年の夏と秋の2回、同法人の職員と北上川付近を散歩中に迷子になったことがあったが、このときは市内で発見され

滝村隆規くん。失踪当時、身長約120センチ、体重25キロ程度。名前を聞かれると「たかのりくん」と話し「いや」「やだ」「ママ」「マクドナルド」などの言葉をよく口にしていたそうだ

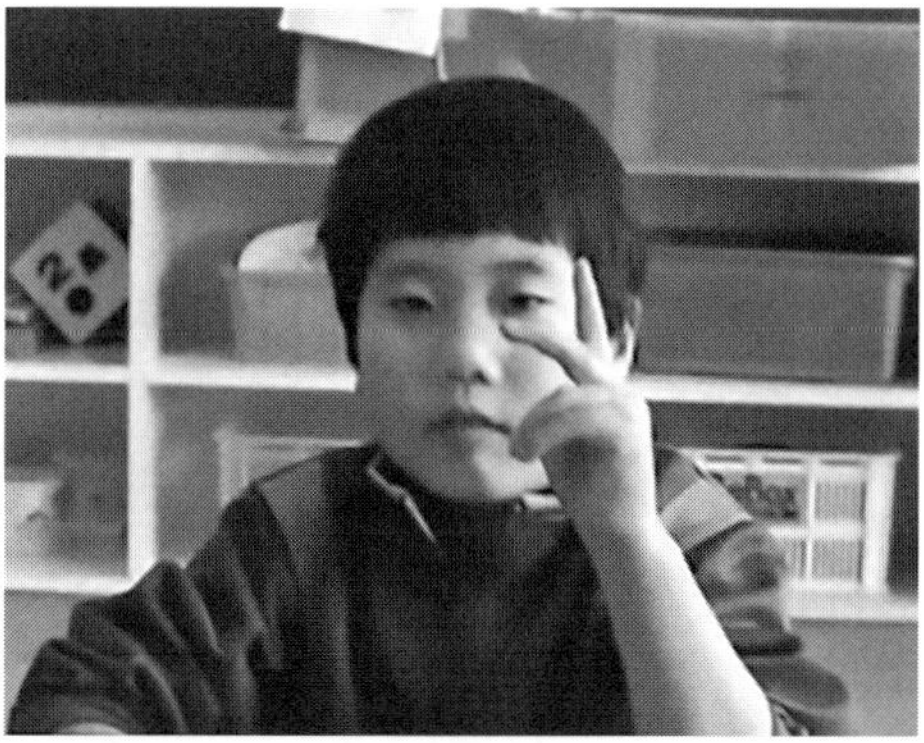

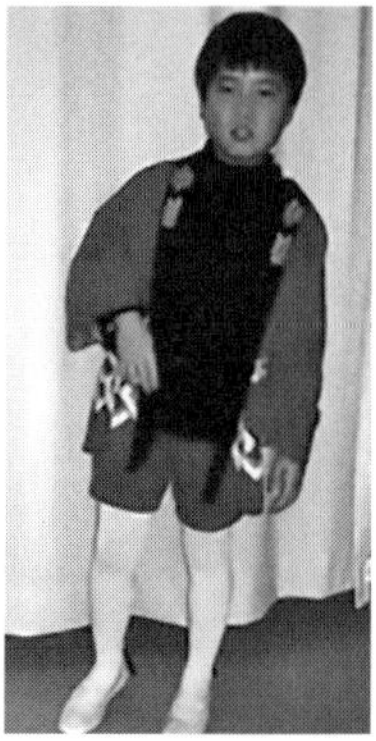

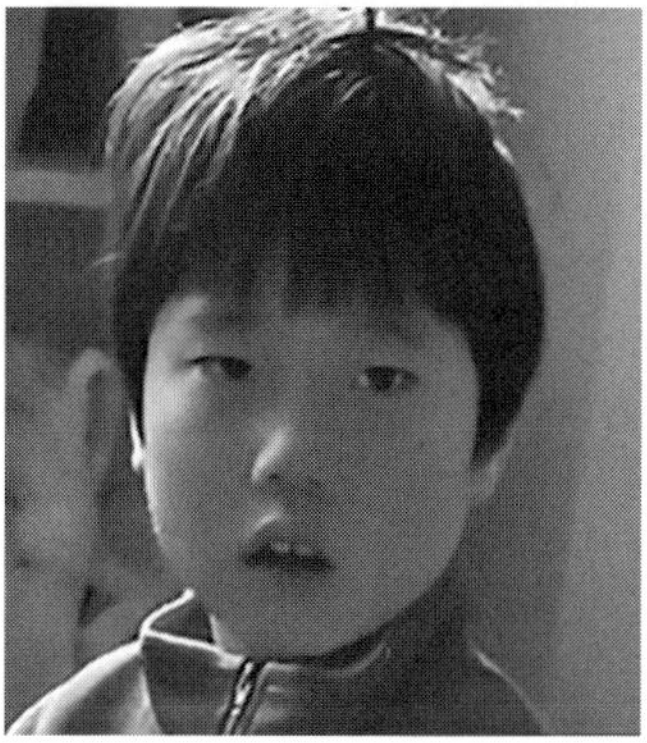

たという。

失踪から３年後の２０１０年１月、隆規くんの両親が「六等星」と男性職員に対し、監督責任の怠慢、並びに最愛の息子が行方不明になったことで精神的苦痛を受けたとして慰謝料３千２００万円を求める訴訟を起こした。「六等星」側は、スタッフ１人で障害児３人の面倒をみていたことに無理があったのを認め、両親に４８０万円を支払い、今後も捜索活動に協力することを条件に和解。その後、担当の盛岡警察署には複数の目撃情報が寄せられたが、いずれも事件解決には繋がらなかった。隆規くんの両親は、いま現在も息子と再会できる日を心待ちにしている。

伊達市・砂浜佳祐くん失踪事件

氷点下の朝、軽装で入所していた施設から行方不明に

2008年2月11日、北海道伊達市幌美内町《ほろぴない》の知的障害者総合援護施設「太陽の園」に入所する砂浜佳《すなはまけい》祐《すけ》くん（当時15歳）が突然、行方不明になった。佳祐くんは失踪前日の10日午前11時50分頃、胆振管内白老町《いぶりかんないしらおいちょう》の自宅に電話をかけ「苫小牧《とまこまい》のゲームセンターに行きたい」と話したが、母親は「迎えに行けないから」と説得するように申し出を拒否。ところが、納得がいかなかったのか、彼は電話を切ってまもなく施設を抜け出し、約1時間後、国道37号を苫小牧方向に歩いているところを職員が発見し、連れ戻されている。最後の目撃情報は翌11日午前8時頃。彼が施設内のトイレに行く姿を職員が見ており、これ以降、一切行方がわからなくなる。施設の玄関は日頃から鍵をかけておらず、出入りは自由だった。ただ、佳祐くんはこれまでに勝手に抜け出すことは一度もなかったという。

佳祐くんは2006年10月に「太陽の園」に入所し、そこからスクールバスで室蘭市内の養護学校に通っていた。失踪当時、身長は約161センチ、体重約48キロの痩せ型で、服装は黒色のジャージ、黒色のズボンに紺色の夏用スニーカー。真冬の北海道では軽装すぎる格好だった。またストレートの黒髪を鼻の下まで伸ばしているため女の子に間違えられることもあり、日頃から鏡に映る自分の姿を気にしていたそうだ。

失踪が発覚しテレビや新聞が報じたことで、警察に数件の目撃情報が寄せられた。まず、佳祐くんが最

砂浜佳祐くん。失踪翌日に受験していた伊達市内の高等養護学校から合格通知が届いていたという

後に目撃された1時間後の午前9時頃、施設から室蘭市方向へ約9キロ離れた南稀府町《みなみまれふちょう》の採石場付近で稀府岳方面に向かう彼に似た子を見たとの情報があった。警察はこれをもとに佳祐くんの行方を探した結果、稀府岳の斜面を流れる牛舎川を沢伝いに降りていく足跡を発見。ただ、これが佳祐くんのものかどうかは確認できず、彼を見つけることもできなかった。また、2月13日に登別《のぼりべつ》のファミレス「ガスト」付近で目撃した、14日20時頃に苫小牧のイオンから出ている無料バスに乗って双葉町のプリンスホテル前で下車した、さらに15日には佳祐くん似た子供を保護したとの情報もあったが、警察がこれらを確認したところ全て別人だったことが判明する。

失踪から2ヶ月後、施設から佳祐くんの母親に捜索を打ち切りたいとの連絡が入り、母親は施設の無責任さに憤りを覚えつつも、警察の協力を仰ぎつつ家族や知人などで佳祐くんを探し続けた。が、情報はほとんどなく事件から13年が経過した今も彼は行方不明のまま。いったい、佳祐くんはどこに消えたのか。やはりゲームセンターに遊びに出かけ途中で事故に遭ったのだろうか。真冬の北海道は昼間でも氷点下。その場合、どこかで凍死し発見されずに現在に至っている可能性は極めて高いだろう。

韓流ファン・棚橋えり子さん失踪事件

行方不明翌日、本人の携帯電話に出た「アキヤマ」を名乗る男性とは？

2010年1月1日、韓国を1人で旅行していた神奈川県藤沢市に住む棚橋《たなはし》えり子さん（当時58歳）が突如、消息を絶った。棚橋さんは前年2009年12月28日に韓国へ入国。失踪当日には韓国北東部の江陵《かんぬん》市を訪れていたことがわかっているが、帰国予定日の1月4日を過ぎても戻ることはなかった。

棚橋さんは2003年頃、当時日本で一大ブームを巻き起こしていた韓国ドラマ「冬のソナタ」をきっかけに韓国文化に関心を持ち始め、2005年に夫が亡くなると韓流ドラマにのめり込むようになった。特にお気に入りだったのが、2004年のドラマ「美しき日々」でブレイクした俳優のリュ・シオンで、彼のドラマのロケ地などを巡るため、10回以上も韓国を訪れていた（うち3回は単独旅行）。

そんななか、3人の娘から年末年始にかけての韓国旅行をプレゼントされた棚橋さんは1人で羽田空港から韓国へ旅立つ。ソウル市内のホテルにチェックイン後ソウル市内を観光。1月1日、ホテルの従業員に「冬のソナタ」のロケ地でもある春川《ちゅんちょん》市の行き方を聞き、午後には貴重品だけを持って宿を出発した。が、友人に「春川に着いたけど、つまらないので江陵に向かいます」とメールを送信し、夕方にソウルから200キロ以上離れた江陵市に到着。ただ、韓国ドラマの有名なロケ地である鏡浦台《きょんぽで》近くの港町サチョンジンの「赤い灯台」には向かわず、そこから10キロほど離れた港町チュムンジンの「白い灯台」を18時

今も消息がわからない棚橋えり子さん

頃に訪れ、その灯台の画像を友人にメールで送っている。1時間後の19時頃、港の近くの食堂に1人で立ち寄り酒を飲む姿が店主に目撃されており、そのとき彼女は携帯電話で韓国語と日本語を混ぜて話していたという。その後、20時頃に「居酒屋で飲んでいる」、21時頃に韓流スターのポスターを写した写真を友人にメールで送り、これを最後に音信不通、消息不明となった。

家族からの捜索願を受けた韓国警察当局は当初、棚橋さんが事故に巻き込まれたとの見解を示した。彼女が立ち寄ったチュムンジンの少し先は海岸が広がっており、防波堤から海側に下りることも可能で、波にさらわれた疑いがあるというのだ。しかし、日本側の捜査関係者は、その周辺には消波ブロックが積み上げられており波にさらわれるのは考えにくく、たとえ誤って海側に落ちても自力で上がって来られる地形であると反論。実際、地元警察が一帯を捜索しても遺体は発見されておらず、当日高い波が発生していたという情報もなかった。その後、チュムンジンから20時10分発のソウル行き高速バスに棚橋さんらしき女性を乗せたと運転手が証言したことで、彼女が23時10分頃にはソウルに到着していた可能性が浮上。ただ、目撃されたその女性と失踪時の棚橋さんの服装が異なっていることから日本の捜査関係者は、女性は別人物で棚橋さんはチュムンジンから離れていないと考えているという。

失踪当日の足取り（テレビ朝日「スーパーチャンネル」より）

それでも、韓国警察は12月28日〜31日は棚橋さんが1日1回しか外出せず、ホテル内のコーヒーショップで都合34時間にわたりぼんやり窓の外を眺めていたとの目撃証言から自殺の兆候があったと主張。対し、棚橋さんの娘は母親が遺書も残さず自ら命を絶つなど考えられないと真っ向から否定した。

家族の懸命な呼びかけにより韓国内でも棚橋さんの失踪は広く知れ渡り、発見の手がかりに繋がる情報に1千万ウォンの報奨金を提供する結婚会社まで現れたが、2023年3月現在も事件に進展は見られていない。実は棚橋さんの失踪翌日に彼女の友人が携帯電話を鳴らしたところ、「アキヤマ」と名乗る男性が電話に出たそうだ。友人が「えり子さんの携帯じゃないですか？」と聞くと、一方的に切られ、その後、携帯は繋がらなくなったという。果たして「アキヤマ」を名乗った男は誰なのか。失踪に関与しているのか。真相は解明されていない。

サイパン日本人姉妹行方不明事件

早朝6時の帰国フライトを控え、前日夜中に人気のないビーチに行くだろうか？

2014年6月29日、米自治領サイパン島を旅行中の長野県在住の山田なつきさん（当時33歳）と妹のちなつさん（同26歳）が行方不明になった。海外旅行の経験が豊富だった2人は通常のパッケージツアーを利用せず、自身でインターネットを通して現地ホテルを直接予約し、航空券や現地で利用するレンタカーも自ら手配。28日にサイパンを訪れ30日午前6時のフライトで帰国する予定だった。

姉妹の最後の目撃情報は29日22時30分。宿泊先のマリアナリゾートホテルの防犯カメラがタオルを羽織り泳ぎに行くような姿を捉えていた。その後、7月1日になって、ホテルから約1キロ先にあるダイビングの穴場スポット「ウイングビーチ」で2人が借りていたレンタカーが見つかった他、海岸にボートの空気入れ、衣類などが残されていたことや、2日に海岸から約45キロ離れた沖合で姉妹が購入したビニールボートが空気が抜けた状態で発見されたことなどから、地元警察は2人がボートで海に出て事故に遭った可能性が高いとみて沿岸警備隊とともに海上を中心に捜索。姉妹の姿を発見できないまま8日に捜索を打ち切る。

失踪した山田なつきさん（左）と妹のちなつさん

しかし、これを単なる海難事故として結論づけるには疑問点も少なくない。2人が宿泊していたホテルから空港まではレンタカーで移動しても30分以上かかる距離。搭乗手続きの時間などを考えれば遅くとも午前4時にはホテルをチェックアウトしなければならない。姉妹の部屋には、荷物がそのまま残されており、2人が外出後にホテルに戻りパッキングをする予定だったことも推測できる。こうした時間的状況がありながら、夜22時30分以降に海に出かけるだろうか。しかも、2人の所持品が残っていたウイングビーチの入り口は日中天気の良いときでも見逃しそうな狭い場所。中に入ると、ジャングルを適当に切り開いたと思われる荒々しく明かりも全くない狭い道が長々と続き、ビーチに出ても照明は皆無だ。もちろんライフガードもいなければ簡易トイレもない。そのような難所に深夜女性2人で浮き輪ボートに乗りに行くのはいかにも不自然だ。そもそも、姉妹が宿泊していたホテルは崖の上に立っており、その真下はビーチ。夜半ならほとんど人気はなく、そこでも十分に海を堪能できたはずだ。
しかし、彼女らが22時30分に海に行くような格好でホテルを出たのは紛れもない事実。警察の見立てどおりレンタカーでウイングビーチに出かけ沖合でボートから転落、溺死した可能性は否定できないが、先述のような不可解な状況から、現地で知り合った何者かが暴行目的で姉妹を誘い出し殺害し、遺体をビーチ近くのジャングルに遺棄、夜から明け方にかけて人がほとんど来ないウイングビーチにレンタカーを停め、所持品を置くなどの偽装工作を行ったとの疑いも出ている。また、ネットではサイパン島を含む北マリアナ諸島の経済を仕切る中国人による人身売買の餌食になったのではないかとの説も浮上した。いずれも真偽不明ながら、姉妹の両親はその後、30回近くサイパンを訪問。失踪した娘たちに関する情報提供者に対し1万ドルの報奨金を設け、現在も行方を探し続けているそうだ。

姉妹の所持品が見つかったウイングビーチ(右)と、宿泊先のマリアナリゾートホテル

広島市・藤野千尋さん失踪事件

消息を絶った後、携帯電話の微弱電波を二度感知

2014年6月7日、広島市植物公園の臨時職員だった藤野千尋《ふじのちひろ》さん（当時25歳）の行方が突如わからなくなった。この日午前9時頃、千尋さんは広島市佐伯区の五日市駅南口からバスに乗り植物公園の最寄りにある東観音台《ひがしかんのんだい》中央で降車、徒歩で勤務先に向かい普段どおり仕事をこなした。同僚女性に佐伯区の地毛バス停まで送ってもらったのが18時頃。その直後に普段はあまり連絡を取っていなかった長野県在住の大学時代の先輩女性に携帯で電話をかけていたことはわかっているが、このとき先輩は出られず18時30分頃かけ直したものの、千尋さんが電話に出ることはなく、そのまま消息を絶ってしまう。

2日後の9日、家族が失踪届を提出。警察の協力のもと千尋さんの足取りを追った結果、失踪当日の朝、勤務先に向かうバスに乗った際、普段どおりICカードを利用した記録が残っていたがそれ以降の記録がないことから、同僚女性と別れた後、バスに乗っていない可能性が高いことが判明。また行方不明時の所持金は2千円程度で、口座から現金を引き出された形跡もなかったことから自ら遠方に向かった可能性は低いとみられる。植物公園での仕事に生きがいを感じ正式な職員になることを目指していた彼女に自分の意思で失踪する理由など一切なかった。

その後の調べで9日午前8時25分頃に五日市駅から西へ約2キロ離れた住宅街で本人の携帯の微弱電

失踪した藤野千尋さんに関する情報

行方不明事案の概要
この情報まとめ画像は２次利用,転載可です
ニュース速報Japan
~ Breaking News Japan ~
日時：6/7 PM6:00ころ
行方不明場所：広島県広島市佐伯区　地毛バス停付近
【藤野千尋さんの特徴】
・年齢２５歳
・身長１５６ｃｍ
・水色のポケットが沢山ついた作業シャツ
・ライトグレーの作業ズボン
・白色にピンクのラインが入ったスニーカー（24.5cm）
・ピンクのハンドバッグ
・白いトートバッグ
・髪型は後ろで１つに束ねる感じ
・通常は眼鏡をかけている
不明当時の服装
情報提供先
広島県警
佐伯警察署
082-922-0110

波を感知、さらに同日16時21分頃、最初に感知された場所から北西方向に約4キロの山中で再び携帯の微弱電波を感知されていることがわかった。ただ、これが千尋さんが生きていた証明にはならない。彼女がもし事件に巻き込まれていたのなら、同僚と別れた7日18時過ぎから先輩女性の折り返しの電話に出なかった18時30分の間にトラブルに遭遇した可能性は高く、携帯の電波も事件に関与する何者かが所持していたとも考えられる。母親はこれまで数千枚のポスターを作成し広島市内の施設や店舗に掲示し情報を募ったり、テレビの取材などにも積極的に応じてきたが、２０２３年3月現在、進展に繋がるような手がかりは得られていない。

大阪市旭区・服部晃平さん失踪事件

姿を消す直前に会っていた女性が事情を知っている可能性も

２０１４年７月11日18時頃、大阪市旭区に住む高校２年生の服部晃平《はっとりこうへい》さん（当時16歳）が都島区《みやこじま》毛馬町《けまちょう》にある叔父の家に自転車で出かけた。叔父宅では今度海に行く話などをしており特に変わった様子はなかったが、21時半頃「友達に会いに行ってくる。30分くらいで戻る」と自転車で外出。22時過ぎ、戻ってこない晃平さんを心配した叔父が携帯に電話をかけたところ、電源が入っておらず繋がらなかった。その後も彼が戻ってくることはなく、家族は警察に捜索願を提出。同時に周辺を捜索した結果、晃平さんのバイト先だったスーパー「ライフ毛馬店」の駐輪場に放置された本人の自転車が発見された。が、晃平さんはもちろん携帯電話も見つからず、電波を感知することもできなかった。

実は、晃平さんは叔父の家を出た後、バイト先のスーパーの前で知り合いの女性と会っていたことがわかっている。女性によると15分ほど会話を交わし別れたそうで、晃平さんの行方については一切知らない

服部晃平さん。失踪当時、身長約170センチ、体重約55キロの痩せ型で赤茶色の短髪だった

という。が、2人がどんな関係だったのか、どちらから会う約束をしたのか、どんな話をしたのかは明らかにされておらず、ネットではこの女性がウソをついている可能性も指摘され、失踪に繋がる何かしらの事情を知っているのではないかと噂された。

そもそも晃平さんは叔父に30分ほどで戻ると告げており、自ら失踪したとは考えにくい。であれば、女性と別れた後、何かしらの事件に巻き込まれた可能性が浮上してくる。しかし、彼の交友関係などの情報はなく、失踪場所についても大阪市旭区付近としか伝えられていない。また、警察は失踪当日、スーパーの防犯カメラが捉えたと思われる晃平さんの画像を公開したものの、それ以外に晃平さんの姿を写した現場周辺の防犯カメラがなかったのかは公にしていないことから、彼の失踪に事件性はないと判断しているとの見方もある。が、晃平さんは風呂に入るときも携帯を手放さない携帯依存症だった。そんな彼の携帯の電源が失踪直後から遮断されている。ということは、本人ではない誰かが携帯を切ったか端末自体を破壊した可能性もあるのではなかろうか。真相は解明されないまま現在に至っている。

失踪当日、スーパーの防犯カメラが捉えた晃平さんの姿。映った時間の情報はない

越谷市会社員・石垣浩史さん失踪事件

「お盆休みに帰省する」と実家にLINEした後、こつ然と消失

２０１７年８月17日、埼玉県越谷市に住む会社員の石垣浩史《いしがきひろふみ》さん（当時24歳）が会社を無断欠勤した。携帯に電話をかけても連絡が取れない。そこで会社側が浩史さんの静岡の実家に電話をかけたところ、父親曰く、８月13日に「お盆休みが取れたので帰省する」とＬＩＮＥで連絡があったものの実家には戻っていないという。会社からの電話を受け不安を募らせた父親はすぐに息子が１人で住む越谷のアパートに向かうも、中は整然としており鍵は窓も含めて閉まった状態。何か異変があった様子はうかがえず、その足で捜索願を出したものの警察は事件性がないと判断。積極的な捜査には至らなかった。

浩史さんは山梨県の大学を卒業後、２０１６年４月、越谷市の機械メーカーに営業職として就職。失踪当時はまだ研修期間中だったが、仲が良かった同僚によれば「真面目な性格で、ギャンブルや酒もやらず、大きな借金もない。人付き合いは良かったが彼女がいたという話は聞いたことがない。仕事や私生活での悩みも聞いたことがないし、失踪する理由がわからない」という。父親も、浩史さんが高校時代の友人にお盆休みに帰ると連絡していたことを確認しており、自ら姿を消す目的にまるで見当がつかなかった。

失踪から１年３ヶ月が過ぎた２０１７年11月、ＳＮＳなどで息子の情報提供を募っていた父親のもとに、神奈川県横浜市のコンビニエンスストアから「似たような人が来ていたようなので、防犯カメラを確認し

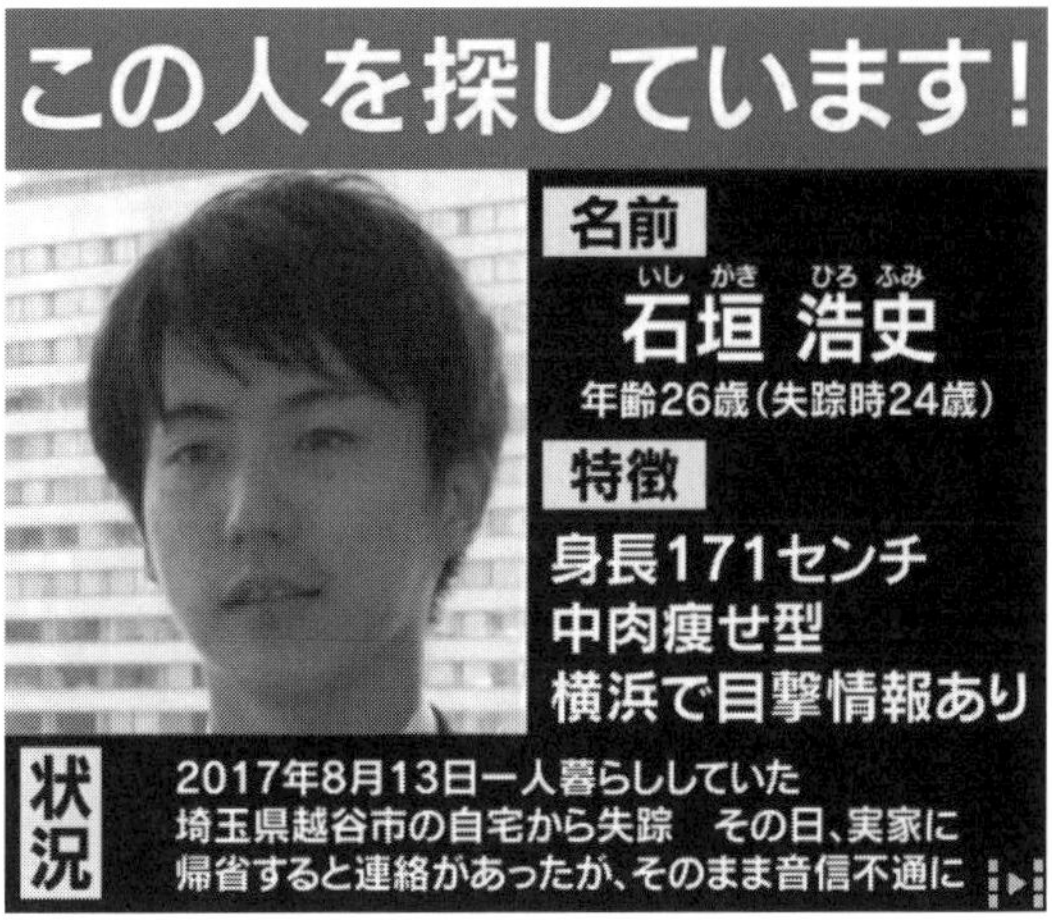
この人を探しています！
名前
石垣《いしかき》 浩史《ひろふみ》
年齢26歳（失踪時24歳）
特徴
身長171センチ
中肉痩せ型
横浜で目撃情報あり
状況
2017年8月13日一人暮らししていた
埼玉県越谷市の自宅から失踪　その日、実家に
帰省すると連絡があったが、そのまま音信不通に

今も行方がわからない石垣浩史さんの情報。
２０２３年３月現在30歳

てみますか？」との連絡が入った。浩史さんは横浜ベイスターズの大ファンだったということから、横浜に現れた可能性もゼロではない。そして、父親が防犯カメラを確認したところ、そこに映っていたのは間違いなく浩史さんだった。こざっぱりとした上下白の恰好で、父親は新興宗教の服装のような印象を受けたそうだ。その後、父親のもとには町田（東京都）の駅前にいた、横浜の馬車道で見たなどの情報が入った他、２０１９年４月には横浜スタジアム内のショップでベイスターズの白地に青のストライプの入ったユニフォームを着た浩史さんらしき人を見たとのショップ店員の証言も得られた。この人物が浩史さんかどうかの確証はないが、確かに事件性はなさそうに思える。であれば、なぜ浩史さんは連絡の一つも寄こさないのだろうか。

　不思議な点はまだある。浩史さんがアパートに残していった預金通帳だ。父親は息子がキャッシュカードを所持している可能性があることから、本人が預金を引き出すことを考え、月に２回、１千円～３千円の入金を続けたところ、おおむね1週間以内に引き出されることが判明。銀行に情報提供を求めたが、個人情報保護の観点から、親であってもATMの映像を見ることは許されなかった。
　浩史さんが現在、どこかで別の生活を送っている可能性は高い。しかし、そもそもなぜ入社したばかりの会社を辞め失踪しなければならなかったのか。家族が心配していることは浩史さんもわかっているはず。にもかかわらず全く消息を絶ってしまったのは、誰も知らない彼だけの秘密があったのか、それとも何者かの支配下に置かれ連絡が取れない状態にあるのか。父親は安否確認のため現在も銀行口座への振込を続けているそうだ。

大好きだった横浜ベイスターズのユニフォームを着た
浩史さんらしき人物を見たとの目撃証言もある

群馬県東吾妻町・山野こづえさん失踪事件

家族が稲刈りに出かけている最中、生後2ヶ月の娘を残し行方不明に

2018年11月3日、群馬県吾妻郡東吾妻《あずま》町に住む主婦、山野こづえさん（当時27歳）が生後2ヶ月の娘を自宅に置いて突然行方不明になった。この日は年に一度の家族総出の稲刈りで、家族はこづえさんと娘を家に残し自宅から約2キロの場所に全員で出かけていた。

13時52分、夫の裕介さんの携帯にこづえさんから連絡が入る。

「ねえ、庭の水が出っぱなしなんだけど大丈夫？」

「それは山の水を引いてるから大丈夫」

「そっか、わかった。じゃあ頑張ってね」

この他愛もないやり取りが夫婦の最後の会話になった。

17時頃、稲刈りを終えた家族が家に戻ると、なぜかこづえさんの姿はなく、娘の歩美ちゃんと、こづえさんが取り込んだであろうと思われる畳まれた洗濯物、充電状態の携帯電話、本人の財布が残されていた。

裕介さんはすぐに近所を探し歩いたが妻を見つけられず、警察に捜索願を提出する。

こつ然と姿を消した山野こづえさん

その日の夜から警察犬が出動、翌日から事件や事故など様々な可能性を視野に入れ、150人体制の警察や消防隊による捜索が始まった。すると、家族が稲刈りから戻る15分ほど前、自宅から数百メートルの地点で近隣住民が、家とは逆方向に歩くこづえさんとすれ違ったとの証言が得られる。いったい彼女に何が起きたのか。愛娘を1人残し、家を出る理由などあるのだろうか。その後、家族は警察の協力のもと懸命に捜索を続けたが、こづえさんの消息は掴めなかった。

こづえさんは失踪当時、身長159センチ、体重55キロ。肩くらいまで伸びた黒髪、服装はパーカーと黒のジャージパンツ、紺色のスニーカーを履いており、結婚指輪はつけたまま。また、顔の特徴としてほくろが顎の中央に2つあり、顔の左側にもほくろが複数あったという。

果たして、彼女はどこに消えたのか。夫婦は周囲が羨むほど仲睦まじく、2018年9月には待望の娘が誕生している。しかし、几帳面で繊細な性格のこづえさんは出産直後に母乳がなかなか出ないことでプレッシャーを感じ、何度もナースコールを押すなどしており、退院してからも「私には無理。育児に自信がない」と落ち込むことが度々あったという。産後の精神状態に詳しい医師によれば、このときのこづえさんは「解離性遁走《かいりせいとんそう》」の状態にあった可能性があるという。これは強いストレスや困惑により脳が防衛反応を起こし本来の人格や記憶が喪失、無意識にその場から遠ざかろうとする精神疾患だ。期間は数時間の場合もあれば1年以上に及ぶケースもあり、仮に正常な状態に戻っても、自分が逃げたという負い目から元いた場所に帰るに帰れないことも珍しくないそうだ。こづえさんもまた、これと同じ状態に陥ってしまったのだろうか。

夫の裕介さんによれば、こづえさんは調理師専門学校に通い調理師免許を取得。さらに、エステの講座に通うなど美容にも関心を持ちカラオケが好きだったという。このことから、自分の資格や趣味を活かした職場で働いている可能性も否定できず、実際に埼玉県のカラオケ店で2、3人の女性と一緒にいるところを見たという情報や、埼玉県秩父郡のコンビニに彼女に似た女性がいた、さらには東京の焼肉店で複数回見たとの目撃証言も寄せられたが、いずれも消息を掴む手がかりにはならなかった。2023年3月現在、こづえさんは行方不明のまま。家族は再会できる日を心待ちにしている。

出産直後から育児に悩んでいたとの情報もある。左は夫の裕介さん

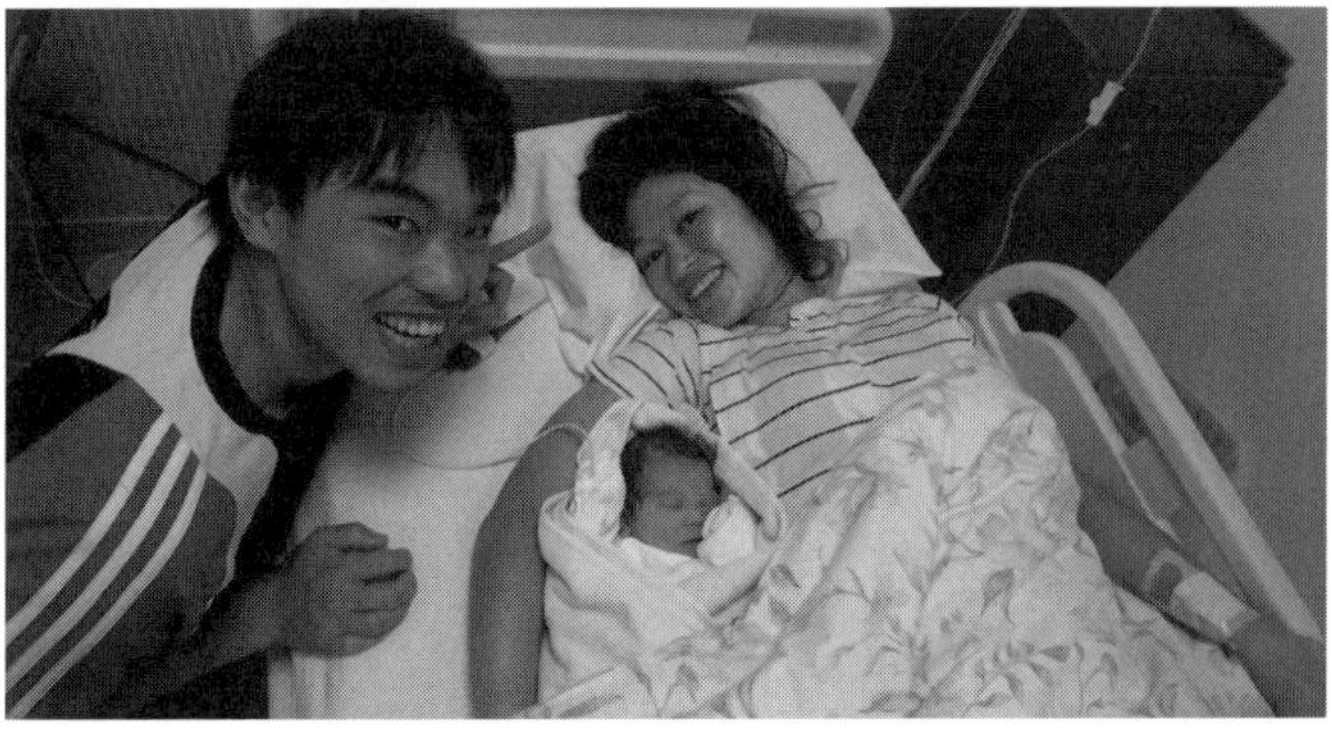

第2章 消失／MISSING 海外編

エヴリン・ハートリー失踪事件

稀代のサイコキラー、エド・ゲインが関与していた疑いも

1953年10月24日夜、米ウィスコンシン州ラクロス郡で当時15歳の女子高生、エヴリン・ハートリーがこつ然と姿を消した。この日、エヴリンは18時過ぎにウィスコンシン大学ラクロス校教授のヴィッゴ・ラスムッセンの家を訪れた。ラスムッセン夫妻が外出するため、生後20ヶ月になる彼らの一人娘のベビーシッターを務めるためだ。これは、彼女の父親リチャードを介した依頼で、リチャードとラスムッセンは同校で教鞭を執る同僚だった。

予定では、ラスムッセン夫妻は20時前に帰宅し、エヴリンも20時半には自宅に戻るはずだった。が、時間になっても彼女は帰ってこず、心配になった父リチャードがラスムッセン宅に数回電話をかける。電話には誰も出なかった。いよいよ不安を覚えたリチャードがラスムッセン家に車を飛ばす。家は明かりがついていたものの全てのドアが施錠されており中に入れない。そこでリチャードは警察に

エヴリン・ハートリー本人。普段はメガネをかけていた

エヴリンが失踪したヴィッゴ・ラスムッセン宅

連絡、駆けつけた捜査員とともに室内に入る。家の中は明らかに異様だった。物品が散乱し、居間の家具が別の場所にずらされている。唯一開け放たれていた地階の窓は網戸が外され、短い脚立が立てかけてある。家の敷地内には複数の足跡と血痕。赤ん坊は眠っていたものの、エヴリンの姿はどこにもなく、階上と階下の部屋で靴が片方ずつ、さらに彼女が普段使用していたメガネが割れた状態で見つかった。

警察は何者かがラスムッセン宅に侵入し、エヴリンを誘拐・拉致したものとみて捜査を開始する。と、警察犬がラスムッセン宅から2ブロック離れた地点で彼女の臭跡を失った。警察はここでエヴリンが車で連れ去られたものと推定。住民に聞き込みを行ったところ、エヴリンの失踪が発覚する1時間ほど前に1台の不審車両が近隣を繰り返し走っていたとの目撃証言、女性の悲鳴を聞いたとの情報、さらに同時間帯に街を疾走するビュイック社の車と衝突しそうになった男性の証言が得られた。男性によれば、運転席に男性が1人、後部座席に男性1人と1人の少女がいたという。ただ、この少女がエヴリンだったかどうかはわかっていない。

警察は近隣住民、州兵、ボーイスカウト、ラクロス校の学生と教員ら1千人の協力と、アメリカ空軍の飛行機とヘリコプターなどを使い大捜索を開始する。結果、ラ・クロス一帯の様々な地点でエヴリンのアンダーパンツ、ブラジャー、ジーンズ、ジャケットなどが発見される。その多くには血痕が付着しており、後の鑑定でそれらの血液がエヴリンの血液型と一致することが判明した。彼女が事件に巻き込まれたことはもはや明白。しかし、その行方は杳として知れなかった。

エヴリンの両親。事件は父リチャード(左)の狂言だったという説も

失踪から4年後の1957年末、警察は当時47歳の男性に疑いを向ける。エド・ゲイン。少なくとも2人を殺害、さらに墓から9体を盗掘し、その遺体の皮膚や骨を使って装飾品を創り上げていた稀代のサイコキラーだ。ゲインは同年11月に逮捕されているが、後の調べでエヴリンの失踪当日、ラスムッセン家から数ブロック先の親戚宅を訪ねていたことが判明、エヴリンを魔の手にかけた可能性があるとみなされた。実際、ゲインの家からエヴリンと同年齢の少女と思しき膣の装飾品が2人分発見されたが、ゲインは事件との関与を否定。2回のウソ発見器による検査もパスした。

事件が完全に迷宮化した2004年、1人の男性がエヴリン失踪後にバーで録音したというテープを持って名乗り出た。彼はバンドの演奏を録音するためにテープを回していたのだが、そこに気になる音声が混じっているという。警察が聞いたところ、1人の男がもう1人の男に対し、自分がエヴリンをウィスコンシン州ラ・ファージに連れて行きそこで彼女を殺害し埋めたと話しているのが確認できた。警察は彼らの身元も特定したが、その時点で両名ともに死去しており、2人が事件に関係していたかは不明のままだった。

エヴリンがその夜、誰かに誘拐・殺害されたことに疑いの余地はないだろう。では犯人は誰なのか。巷では、事件当時にラクロス郡で空き巣が続発していたことと少女と男性2人組の車の目撃情報を合わせて強盗犯が偶然エヴリンと鉢合わせしレイプ目的または口封じのために誘拐・殺害したという説、前述のようにエヴリン失踪当日にラスムッセン家の数ブロック先の親戚を訪ねていたエド・ゲインによる犯行説、エヴリンがベビーシッターとしてラスムッセン家を訪ねたその日に犯行が起きたことからラスムッセン教授黒幕説、ラスムッセン家を訪ねた父親が犯人で誘拐は狂言という説など様々な憶測が流れているが、真相は闇に葬られたままである。

映画「サイコ」「悪魔のいけにえ」の題材にもなった世界で最も有名な殺人鬼の1人、エド・ゲイン。エヴリンの失踪当日、現場近くの親戚宅を訪問していたことから事件との関与が疑われたが本人は犯行を否定。1984年7月、77歳でこの世を去った（写真は1957年11月の逮捕時）

ポール・フランザック誘拐失踪事件

出産翌日にさらわれ、翌年発見された男児は別人だった

1964年4月26日、米イリノイ州シカゴのマイケル・リース病院で当時28歳の女性ドーラ・フランザックが体重3千630グラムの健康な男の子を出産した。夫チェスターはいたく喜び、息子にポールと命名。新しく始まる親子3人での暮らしに夢を膨らませた。

翌27日、ドーラが入院する産婦人科病棟を1人のナース姿の女性が訪れ、こう言った。

「この子は具合が悪そうだから担当医に診せなくてはいけません。私が預かってもよろしいですか」

看護師はドーラが初めて見る顔だったが、彼女は特に疑いもなく生まれたばかりの息子ポールを預ける。

しかし、それ以降、件の看護師とポールの姿はこつ然と消える。担当医も含め病院側はポールの具合が悪いことなど一切把握しておらず、ここで初めて看護師を装った女性がポールを誘拐したことが判明。女性は35〜45歳で身長167センチ程度。前日と当日に病院内で目撃されていたものの、声をかけた者はいなかったという。

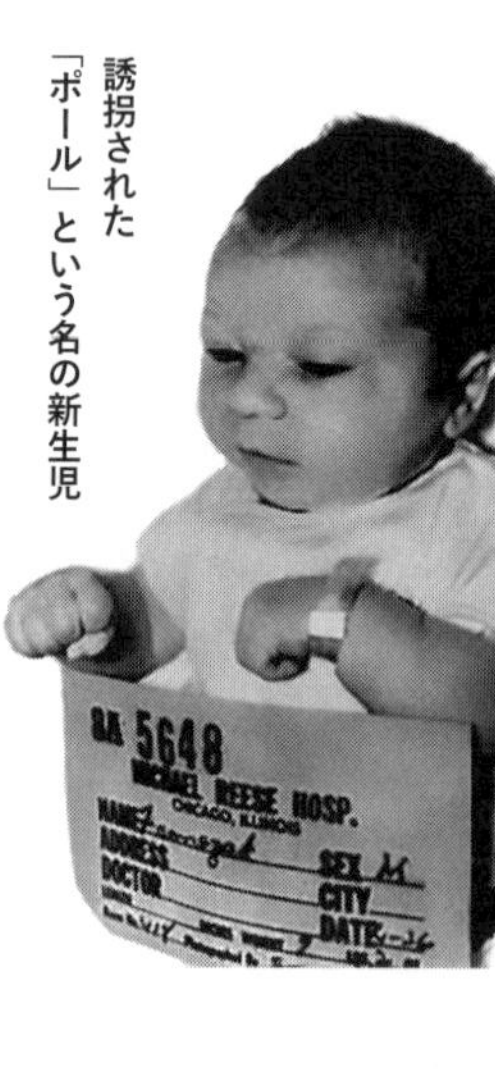

誘拐された「ポール」という名の新生児

我が子を誘拐され悲痛な面持ちで記者会見に応じるチェスター（左）とドーラのフランザック夫妻

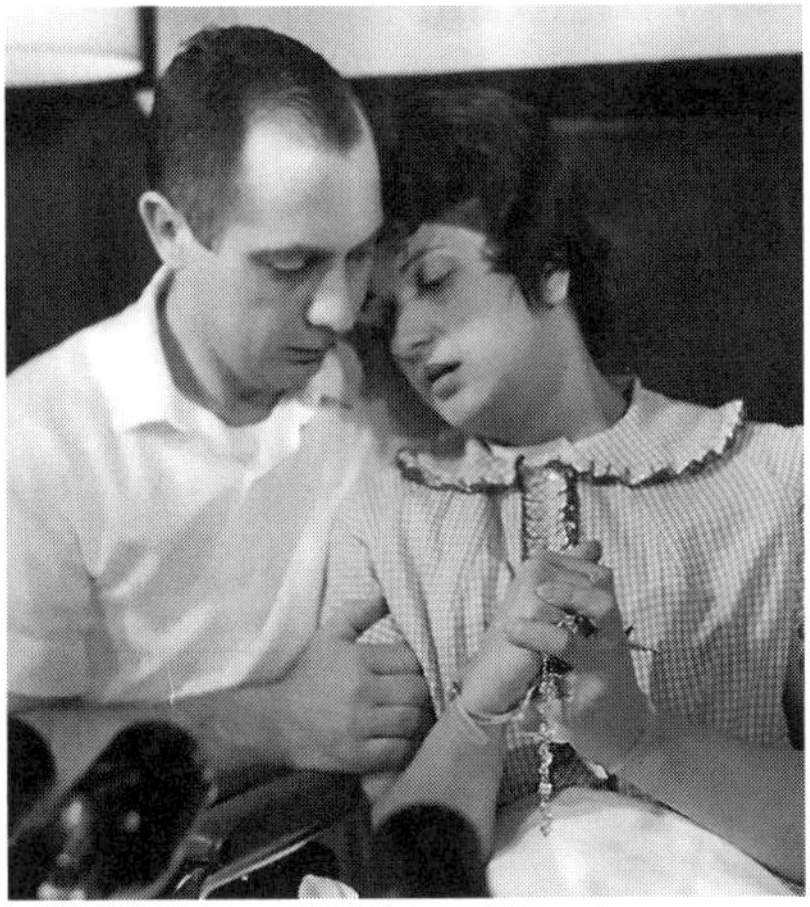

我が子を盗まれたフランザック夫妻は記者会見を開き息子のポールの顔写真を公開、犯人逮捕と息子の行方につながる情報提供を呼びかけ「彼女が赤ちゃんの世話をしてくれることを祈っています。息子を返してください」と涙ながらに訴えた。一方、シカゴ警察とＦＢＩは捜査を開始。数ヶ月間にわたって手がかりを探したが、何の成果も得られず仕舞いだった。

事件から1年2ヶ月後の1965年6月、シカゴから800マイル（約1千280キロ）離れたニュージャージー州のショッピングモールでベビーカーに置き去りにされた生後15ヶ月の男児が見つかる。ＦＢＩはその男児と出産直後に撮影されたポールの耳の形が酷似していたことから、男児が誘拐されたポールの可能性が高いと推定。血液検査も矛盾しなかったため、男児をチェスター夫妻に引き渡す。

その後、ポールは両親に大事に育てられ成長した。何不自由なく暮らし、高校卒業後、様々な職を経て2008年に教師の女性と結婚。1人娘を授かったのを機にシカゴからネバダ州ヘンダーソンに移住し幸せな家庭を築く。しかし、彼には長年の疑念が一つだけあった。両親と自分の外見が大きく異なる点だ。誘拐されたことを知ったのは10歳のとき。両親が箱の中にしまっていた事件を報じる新聞の切り抜きを見つ

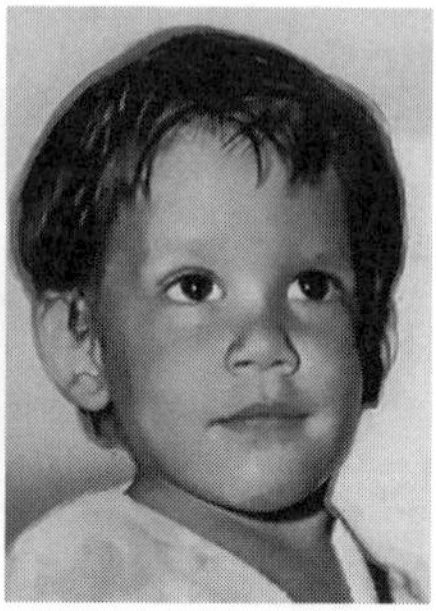

右／誘拐事件の翌年、保護された男児。1966年、本物のポールとしてフランザック夫妻に引き渡された　左／ポールことジャック・ローゼンタール（右）と養母のドーラ。真実が判明した後も母子の関係は良好だという

けたのがきっかけだった。その後、ポーランド系の父とクロアチア系の母とは目の色も髪の毛の色も違うことに気づき、両親に自分は本当の子供なのかと何度も聞いた。２つ下の弟が両親に似ていることも違和感を増幅させていた。しかし、母は「何があっても、あなたは私の子よ」と言うばかり。ポールはそれ以上追及することができずにいた。

２０１３年に父親のチェスターが死去し、ポールは行動に出る。ドラッグストアで購入したＤＮＡ検査キットで調べた結果、今まで実の両親と思っていたのが養父母だったことが判明した。これは母親のドーラも初めて知る事実だった。ポールは自分のアイデンティティを失ったことにショックを受けるとともに、当然の疑問にぶつかる。では自分は何者なのか？　本当のポールはどこにいるのか？　この悩みに応えたのがＤＮＡテストの結果の女性分析担当官だった。彼女はポールから提出されたドーラのＤＮＡサンプルを、ＤＮＡから家系図を作るサイトに当てはめ、本物のポールがミシガン州の郊外に全く違う名前で住んでいること、彼もまた自分が養父母に育てられているのを知らないこと、そしてポールが実はジャック・ローゼンタールという名前であることを突き止めた。さらに、その後の調査でポールことジャックの実父は退役軍人、母はアルコール依存症でネグレクト（育児放棄）、双子の姉がいたが、その1人が行方不明になっていることも判明した。ポールには全く記憶がないが、自分が母親に捨てられた可能性が高いこともわかった。

それでも、まだ解決しない問題がある。1964年4月に看護師を装い新生児を誘拐したのは誰だったのか。その犯人として噂されるのが「福祉詐欺の女王」の異名をとったリンダ・テイラー（1926年生）である。彼女は福祉と社会保障の小切手を詐取したとして、詐欺、偽証罪、重婚の罪で1977年に逮捕、終身刑を受けたが、1964年から1965年の間に100近い偽のIDを使い分け、時には看護師を装い新生児を誘拐、子供が欲しい女性に売り渡していたという。リンダは2002年に死去し真相は不明ながら、彼女が犯人であれば誘拐された新生児はその後、ミシガン州の里親に買われたのかもしれない。ちなみに、本物のポールはもちろん、彼を育てた養父母もメディアの取材には一切応じていない。

上／赤ん坊の写真をもとに合成された「本物のポール」の現在の画像　下／新生児誘拐犯と噂されるリンダ・テイラー。事件時、38歳だった。写真は逮捕後の1977年3月、シカゴの法廷で撮影された1枚

ボーモント家3姉弟失踪事件

小児性愛者の男に誘拐・殺害された疑い濃厚

1966年1月26日、オーストラリア南オーストラリア州アデレードに住むジム・ボーモントと妻ナンシーの子供、ジェーン（長女、当時9歳）、アーナ（次女、同7歳）、グラント（長男、同4歳）が行方不明になった。気温が30度を越えていたこの日、姉弟3人はグレネルグ・ビーチで海水浴を楽しむため午前8時45分のバスに乗り、昼12時に帰宅する予定だった。が、14時を過ぎても子供たちは戻らず、母ナンシーはビーチ一帯を捜索。3人の姿はどこにもなく、17時30分に警察に捜索願を提出する。

警察は事故と事件の両面を視野に、ビーチ周辺、砂丘、近くの建物、空港、鉄道、高速道路などを3日間にわたって徹底的に捜索。それでも子供たちを発見できなかったことから、地元紙は「性犯罪がいま恐れられている」との見出しを打ち、彼らが性犯罪者に誘拐・殺害された可能性を報じる。

失踪した3人。左から長女ジェーン、長男グラント、次女アーナ（1965年撮影）

右／事件を報じる地元紙　左／我が子3人の行方がわからなくなったグレネルグ・ビーチを歩く父ジム（左）と母ナンシー

THE NEWS

SEE INSIDE

THREE VANISH

Vast hunt at beach

SANDAL CHECK

WHY

その後、聞き込み捜査により、失踪当日の昼12時過ぎ、グレネルグ・ビーチの近くで、子供たちが30代半ばの背の高い、明るい茶色の髪と細い顔の背の高い男性と一緒にいたとの目撃証言が数人から得られた。証言によれば、男は水着姿で日焼けした顔色と痩せた運動選手の体格をしており、3人と親しげに話していたという。警察はこの男が姉弟の失踪に関与しているものとにらみ捜査、捜索を続けるも手がかりはなく、未解決のまま現在に至っている。

オーストラリア犯罪史上最大の未解決事件と呼ばれる本事件は、小児性愛者による犯行の可能性が高く、警察は容疑者を10数人に絞り追及してきた。中でも疑わしいとされるのが以下4人の男性である。

1人目は姉弟3人と同じアデレードに住み、1984年に15歳の少年に性的虐待を働いたうえ殺害し終身刑を言い渡されていたフォン・アイネム（1946年生）。警察はアイネムが、グレネルグ・ビーチの更衣室で頻繁に露出行為をしていたこと、姉弟の失踪から数年後、浜辺から3人の子供を連れ出したことを自慢げに話していた情報を掴み、獄中の彼に「ボーモント家の子供たちがようやく見つかった」と偽の話をしかけ反応をうかがった。対し、アイネムは「それは良かった」と警察の捜査を絶賛したものの、事件への関与は否定。物的証拠のない警察はそれ以上の追及をあきらめざるをえなかった。

2人目は、目撃された犯人らしき男の似顔絵に酷似していたアーサー・ブラウン（1912年生）。彼は姉弟が失踪した4年後の1970年8月、クイーンズランド州タウンズビルで7歳と5歳の姉妹をレイプ目的で拉致、刺殺した男で1998年に初めて逮捕されたが、取り調べで他にも3歳から10歳まで6人に性的虐待を働いたことを自供。ただし、ボーモント家の姉弟との関連は頑に否定したまま2002年にこの世を去った。

3人目は、1962年頃からオーストラリア国内で児童に性的虐待を働いていたアラン・マンロー（1942年生）。

右／姉弟が最後に目撃されたグレネルグ・ビーチの郊外
左／子供たちと親しげに話していた男の似顔絵

容疑者として浮上した4人。左からフォン・アイネム、
アーサー・ブラウン、アラン・マンロー、ハリー・フィップス

警察は彼の日記から、マンローが姉弟の失踪当時、グレネルグ・ビーチ付近にいたことを掴み、取り調べたものの犯行を裏づける証拠は出なかった。マンローは2017年に75歳で死去している。そして4人目は、事件当時アデレートの工場主で小児性愛者と噂されていたハリー・フィップス（生年不明。2004年死去）。フィップスの住まいはグレネルグ・ビーチから300メートルの距離にあり、2007年になって彼の息子が失踪当日、父親が自宅の庭で3人の子供と一緒にいるのを見たと証言。そこで警察は2013年11月、フィップスが所有していた工場の土地を徹底的に掘り返したが、遺体発見には至らなかった。

5年後の2018年2月、失踪事件後に報酬をもらいアデレート地域で穴を掘ったことがあるという男性2人の証言に基づき発掘調査が行われた。が、出てきたのは動物の骨だけ。それでも南オーストラリア州警察は子供たちの失踪に関する有力な情報提供に100万ドルの報酬金を設け、現在も捜査を継続中である。ちなみに、姉弟の両親は事件後に離婚。母ナンシーは2019年にアデレートの介護施設で死去したものの、父ジムは2023年3月現在も存命である。

レニー・マクレー失踪事件

事件から46年後の2022年、W不倫の相手に殺人罪で懲役30年の判決が

スコットランド・インバネス市の住宅街に住む36歳の女性レニー・マクレーが、9歳の長男ゴードン・ジュニア、3歳の次男アンドリューを本人所有のBMWに乗せ自宅を出たのは1976年11月12日のことだ。向かった先は別居中だった夫ゴードンの家。そこで長男を下ろし、彼女の車は幹線道路「A9」を南に走る。夫にはキルマーノック市に住む妹の家を訪ねると告げていた。が、レニーとアンドリューが妹宅に現れることはなく、その日の夜、夫の家から約20キロ離れた採石場で炎上するBMWが見つかる。通報を受けた警察が現場に駆けつけると車はすでに黒焦げで車内は無人。ただ、運転席の床のシートからマクレーの血液型と一致する血痕が発見された。さらに、近隣住民の1人は女性の悲鳴を聞いており、別の1人は車の近くで物体を引きずる男を見たと証言。

現在も行方不明者扱いとなっているレニー・マクレーと次男アンドリュー

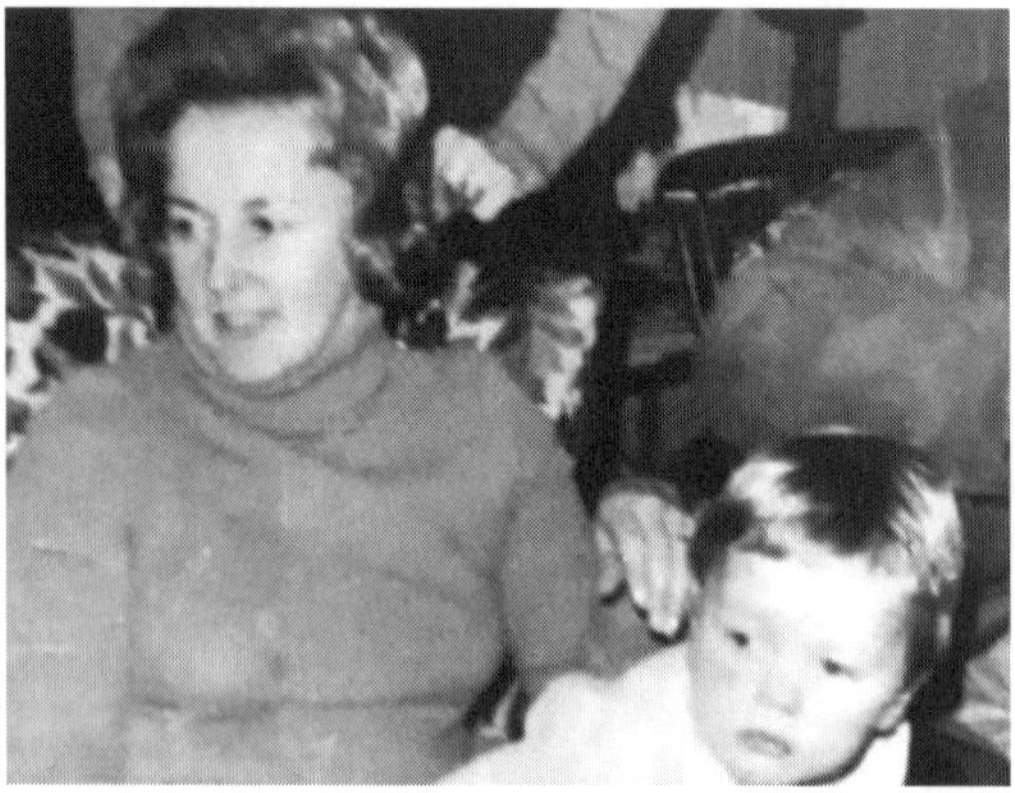

黒焦げの状態で発見されたレニー所有のBMW

こうした状況から警察は2人が何者かに殺害され、遺体を持ち去られたものとみて捜査を開始する。

聞き込みにより、レニーの秘密が明らかになった。彼女の親友の証言によれば、レニーは1971年頃から夫ゴードンが経営する建設会社の会計士を務める既婚男性ウィリアム・マクダウェル（1942年生）とW不倫の関係となり、もともと不仲だった夫と1972年に別居。翌年生まれた次男アンドリューはマクダウェルの間にできた子供で、失踪当日、マクレーが向かっていたのはマクダウェルとの密会場所だったそうだ。

警察の事情聴取にマクダウェルはあっさり事実を認めたが、母子の失踪には一切関与していないという。一方、驚愕の秘密を知ったゴードンは即日、マクダウェルを解雇したそうだ。

8ヶ月後の1977年7月、警察がBMWが発見された採石場を掘削すべく表土の層を取り除いたとき、周囲に異様な悪臭が漂った。土の中に2人の死体が遺棄されている可能性は高い。が、信じられないことに警察は掘削に使用していたブルドーザーを業者に返却、作業を停止。事件の捜査自体もストップさせてしまう。しかし、2004年に未解決事件を扱うテレビのドキュメンタリーが本事件を扱ったことで捜査再開。改めて採石場を掘り返してみたものの、見つかったのは乾いた小包2つと紳士服、うさぎの骨だけだった。

2022年9月、80歳になった元愛人のウィリアム・マクダウェルに殺人罪で懲役最低30年の判決が下された。写真は出廷時

レニーとアンドリューの失踪との関連を疑われていたマクダウェルには、事件直後からメディアの取材依頼が殺到していた。彼はことごとく依頼を拒否していたが、2004年に初めてインタビューに応じ、事件の夜はアリバイがあり、2人の失踪と自分とは一切関係ないと主張した。ところが、長年にわたりマクダウェルを最重要容疑者としてにらんでいたスコットランド警察当局は2019年11月に彼を逮捕。殺人、及び死体遺棄罪で起訴されたマクダウェルは法廷で2人を殺害したのは夫ゴードンで自分は無罪と訴えるも、2022年9月、陪審員は「説得力を持つ典型的な状況証拠がある」との理由で有罪を採択し、裁判所から最低30年の懲役刑を下される。遺体は未だに発見されておらず、物的証拠も皆無。果たして、本当に母子を殺害したのはマクダウェルなのだろうか。

サラ・ジョー号失踪事件

行方不明から9年後、3千500キロ以上離れた場所で船体と乗務員の墓を発見

1979年2月11日午前10時、ハワイ・マウイ島の南東岸にあるハナの街から5人の男性が全長17フィート（約5・2メートル）の捕鯨船サラ・ジョー号で釣りに出かけた。乗船したのは、ベンジャミン・カラマ（当時38歳）、ラルフ・マライアキニ（同28歳）、スコット・ムーアマン（同27歳）、パトリック・ウースナー（同26歳）、ピーター・ハンチェット（同31歳）の5人。彼らは数年来の友人で、航海経験も豊か。特にラルフはプロの漁師として生計を立てていた。

出航当日の朝、海は穏やかで、快晴だった。ところが、13時を過ぎた頃からマウイ島の山から猛烈な風が吹き降ろされる。嵐が来る前兆だった。これに気づいたピーターの父親がサラ・ジョー

1979年2月11日、出航直後に撮影されたサラ・ジョー号と乗務員

行方不明になった5人。左からラルフ・マライアキニ、ピーター・ハンチェット、スコット・ムーアマン(後に人骨発見)、ベンジャミン・カラマ、パトリック・ウースナー

号を港に戻すため無線で連絡したものの応答はなく、さらにボートを出して海岸線を探したが同号は見つからない。数時間後、海上には猛烈な強風が吹き荒れ、海岸線には荒れ狂った高く白い波が打ち寄せていた。

その後、沿岸警備隊が海と空から延べ約1万2千キロを捜索するも、サラ・ジョー号の痕跡は皆無。5日目、捜索は正式に打ち切られ、沿岸警備隊は同号が嵐のなか遭難し、船体は海底に沈んだものと結論づけた。それでも、彼らの家族はあきらめず海岸線を隈なく調べ、流れつくであろうサラ・ジョー号の残骸を探したが、結局、何も見つけることはできず、サラ・ジョー号が失踪してから10周年の1988年に5人が出発した桟橋に集まり、彼らがどこかで生きていることを祈った。

ところが、同年9月9日、事件は意外な展開を見せる。この日、初期の段階で捜索に参加していた海洋生物学者のジョン・ノートン一向がマウイ島から西に2千200マイル(約3千520キロ)離れたマーシャル諸島で野生生物の調査に出かけ、タオンギと呼ばれる無人の環礁の海岸近くで岸に打ち上げられた小さな船の残骸、そこから約55メートルほど離れた地点でサンゴの岩の山と木製の十字架で作られた粗末な墓、さらにサンゴの岩の山から突き出ている人間の顎骨を発見した。ノートンらはとりあえず、その難破船の側面に記されたハワイ州で登録されたことを示す登録番号の一部を記録し、タオンギ環礁を離れる。

この情報を受け沿岸警備隊が登録番号をチェックしたところ、難破船がサラ・ジョー号であることが判明。さらに、発見された墓の近辺を発掘したところ人間の骨格が見つかり、歯科記録により、それが行方不明の５人の男性のうちの１人であるスコット・ムーアマンのものであると特定された。また、墓の中から意図的に埋められたと思われる紙片が発見され、それは４分の３インチの正方形の紙が積み重ねられた状態で、紙と紙の間にスズ箔が交互に置かれていた。

専門家はサラ・ジョー号がマーシャル諸島まで漂流した可能性を否定できないながらも、その航海には少なくとも約３ヶ月はかかると予想。また、家族によれば、１９８５年にアメリカ政府がタオンギ環礁を徹底調査した際は、そのような船も墓らしきものもなかったという。いったい、サラ・ジョー号はどうやって３千５００キロ以上の地点にたどり着いたのか。誰がスコットを埋葬したのか、真相はわかっていない。

マーシャル諸島・タオンギ環礁の岸から見つかったサラ・ジョー号の残骸と、5人が出航した桟橋の岩に設置された記念碑

心臓専門医M・キルコイン失踪事件

捜索済の場所から後日、本人の財布、ブラウス発見

1980年1月25日、米ニューヨーク・コロンビア大学の心臓病専門医のマーガレット・メアリー・キルコイン（当時50歳）は、マサチューセッツ州ケープ・コッドの南に位置するリゾート地・ナンタケットの別荘で地元の人々とパーティを催した。何でも長年の医学的研究が実を結び、それを発表すればノーベル賞受賞の可能性もあったという。内容は誰も教えられていなかったが、パーティはその前祝いとして開かれたようだ。宴は22時30分頃に終わり、翌朝パーティにも参加していた兄のレオが別荘を訪ねる。が、屋内は無人。兄は妹が外出した可能性も考えたが、彼女の冬用ウィンターブーツやコートは残されており、自宅から別荘まで乗って来た車はガレージに残されたままだった。

通報を受け警察、消防署、沿岸警備隊が海と空から徹底的な捜索を行った。が、消息につながるようなものは一切発見されないまま数日間が過ぎ、捜索打ち切り。事故か事件か自殺か、まるでわからず、まさに神隠しのような状態だった。

失踪から9日目の2月3日、別荘から北東に約1・6キロ離れた沼地の近くでキルコインのパスポート、

神隠しのように別荘から姿を消したキルコイン医師

預金通帳、サンダル、100ドルが入った財布が、さらに別荘から140メートルほど離れた場所で、キルコインが着ていたブラウスが発見される。最初の捜索ではその一帯は念入りに調べられていたが、一切、彼女の所持品は発見されていない。ということは、捜索打ち切り後に何者かが意図的に放置したことになる。そこで改めて警察がキルコインの失踪前の状態を調べたところ、兄や友人たちに、スパイに尾行されていると訴えたり、死んだ義理の妹からメッセージを受け取ったという不可思議な言動を繰り返していたことが判明。パーティ翌日に兄と精神科の医師のもとを訪れることになっていたことがわかった。ということは、キルコインはパーティ終了後に精神を錯乱させ着の身着のまま極寒の外で姿を消したか、海で自殺を図ったのか。であれば、別荘近くに放置されていた彼女の所持品は何を意味するのか。

キルコインの行方はその後も杳として知れず、1989年に公式に死亡宣言がなされた。巷では彼女の医学的発見の発表を阻止するために何者かに消されたとの仮説も流れている。真相は藪の中だ。

ジョニー・ゴッシュ失踪事件

行方不明から15年後、母親の住むアパートに本人が出現!?

1982年9月5日早朝、米アイオワ州ウェスト・デ・モイン郊外で、新聞配達のアルバイトに就く当時12歳の少年ジョニー・ゴッシュが行方不明になった。彼が販売所で新聞を受け取り配達に出たのがこの日朝の5時。が、ほどなくゴッシュがいつもの配達ルートに現れず新聞が配られていないことが発覚、午前6時頃に販売所から両親のもとに電話が入る。心配した両親は一帯を探すも息子の姿はなく警察に失踪を連絡。さっそく警察が捜索に乗り出したところ、ゴッシュが配達するはずだった新聞が束のまま路上に置いてあること、近隣住民がゴッシュが青色のフォードに乗っていた老人に話しかけられていたのを窓越しに目撃していたこと、1人の男がゴッシュに近づき「8番通りはどこだ?」と聞いていたのをゴッシュの仕事仲間が見ていたことがわかった。仕事仲間によれば、ゴッシュは「怖いから家に帰る」と言ってその場から去ったが、後の捜査で男がゴッ

新聞配達中に失踪したジョニー・ゴッシュ。写真は失踪前年の1981年9月に撮影されたもの

ゴッシュ（左）と、同じく新聞配達中に行方がわからなくなったユージン・マーティンの顔を印刷した牛乳パック

同じ人身売買組織に誘拐された可能性の高い新聞配達少年マーク・アレン

シュの後をつけ無理やり車に押し込み走り去ったという目撃証言が得られる。

当時、アメリカでは子供をさらって海外に売ったり、臓器売買、児童ポルノなどに利用する闇組織が問題となっており、毎年約100万人の行方不明者のうちの約8割が18歳未満の子供だった。こうした社会状況から警察はゴッシュが人身売買を行う組織の人間に拉致されたものと推察し、捜査を続けるも進展は見られなかった。

失踪から6ヶ月後の1983年3月、オクラホマ州でゴッシュに会ったと供述する1人の女性が現れた。彼女によると、外を歩いているとき少年が走って近づいて来て「僕はジョニー・ゴッシュといいます。僕は誘拐されました。助けてください」と必死の形相で話したという。女性が突然の出来事に驚いていると、すぐにビルの裏から大人の男性2人が現れ、ゴッシュを車に乗せて走り去ったそうだ。

さらに、翌年1984年8月にアイオワ州デモイン地域でゴッシュと同じ新聞配達の少年ユージン・マーティン（当時12歳）、さらに1年半後の1986年3月、同じデモイン地域で新聞配達の少年マーク・アレン（同13歳）が配達中に失踪するという事件が発生。警察当局は2人がゴッシュ

と同じ組織による連続誘拐事件と見て捜査するも、手がかりは得られなかった。

1989年、ポール・バナーキー（年齢不明）という名の服役中の青年がゴッシュ失踪に関与したことを告白した。バナーキーによれば、自分も子供を誘拐して人身売買をしていた組織に拉致され、性的虐待を受けていたが、その後、組織に協力するよう強要され、逆らえば殺されると思いゴッシュ誘拐を手伝ったのだという。このとき、バナーキーは車にいてゴッシュの足を掴んで他の男性と車に連れ込んだのだそうだ。その後、彼は刑務所でゴッシュの母親と面会、謝罪したが、組織について詳しいことは一切知らないとも語ったという。また、後日、ゴッシュと一緒にいたというジミーという青年も現れ、廃墟に閉じ込められていたところを何人かで一緒に逃げた中にゴッシュがいたが、それぞれ別に逃げたため、現在のゴッシュについてはわからないと供述。ただ、バナーキーもジミーの証言もそれを裏づける証拠はなく、ゴッシュの父親は彼らの話を信じていなかったそうだ。一方、母親は全面的に彼らの供述を信用しており、そうした行き違いから夫婦は1991年に離婚している。

ゴッシュの写真を手に情報提供を呼びかける両親

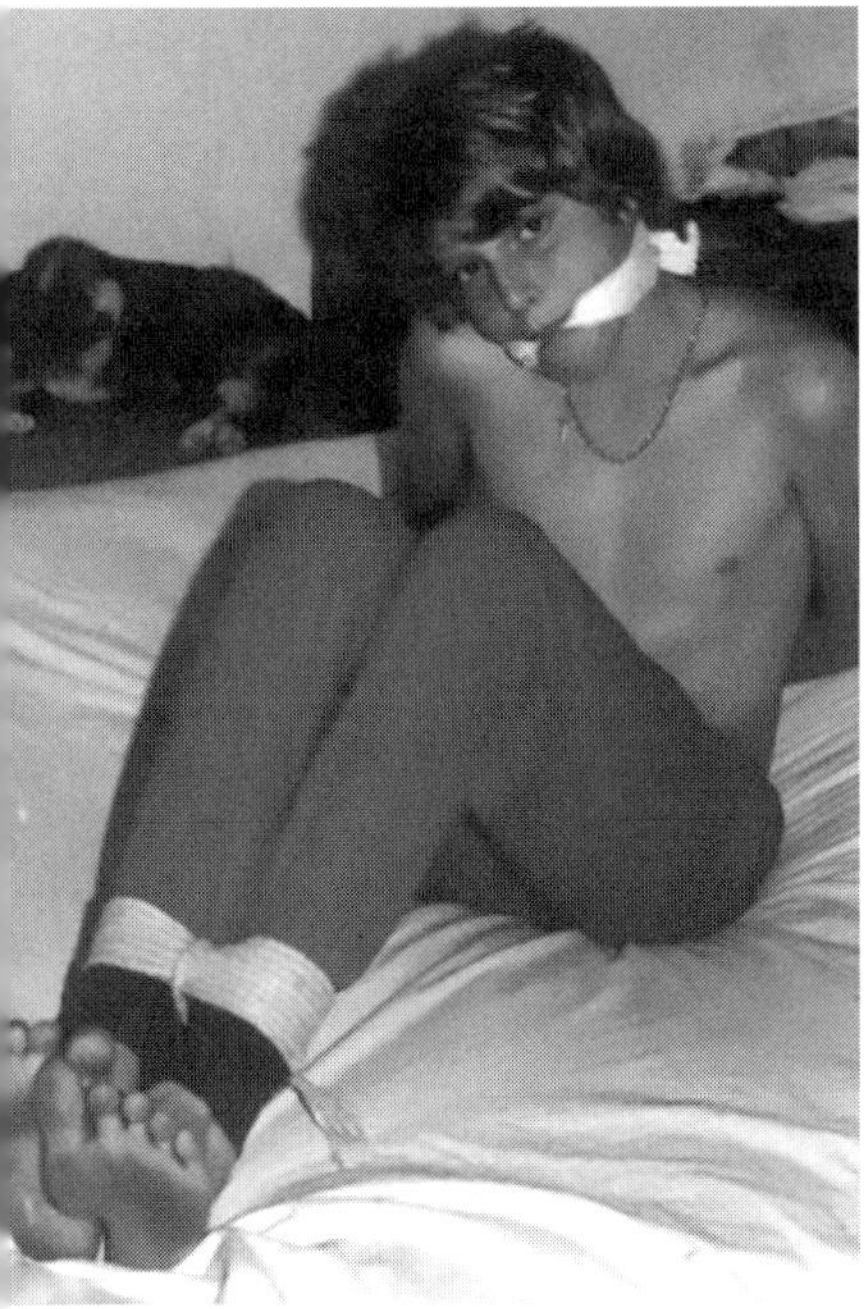

2006年9月、母親の家に置かれていたゴッシュとされる少年の写真

ゴッシュが行方不明になって15年後の1997年3月1日、信じられないことが起きる。午前2時頃、母親の住むアパートの部屋をノックする者がいた。ドアを開けると、そこには27歳になったゴッシュと見知らぬ男が立っていた。母親はゴッシュが子供の頃にかかった浮腫の治療痕を確認し、目の前の青年が間違いなく我が子だと確信する。しかし、ゴッシュが帰って来たわけではなかった。彼は現在、他の人間と住んでいると話したものの居場所は明かさず、「僕はここにはいられない。助けて、あの人たちを捕まえてほしい。そうすればまた一緒に暮らせる」と言い残し3時間ほどで家を出ていったそうだ。しかし、この話も母親の証言のみ。離婚した父親は彼女の作り話と語っている。

11年後の2006年9月1日、母親の家の玄関に数枚の写真が置かれており、彼女は縛られているゴッシュの写真をウェブサイトに公開した。他の写真には見知らぬ男性が映っており、母親によれば「ゴッシュを虐待した加害者の1人」だという。が、9月13日、匿名の手紙がデモイン警察に郵送され、そこには「紳士諸君、母親がウェブで公開している写真はゴッシュではない」と書かれていたそうだ。何が真実かは未だに不明である。確かなのは、ゴッシュを含む3人の少年の行方が現在もわからないということだけだ。

女優タミー・リン・レパート失踪事件

「本当に悪いものを見た。自分を殺そうとしている人たちがいる」

タミー・リン・レパートは1965年2月、米フロリダ州に生まれた。4歳で美人コンテストに参加して以来、約300のコンテントで約280回のグランプリを獲得。7歳のときに両親が離婚するが、マネージャーを務めていた母親リンダのサポートで芸能界に進出。1980年、映画「リトルダーリンズ」の端役で銀幕デビューを果たし、1982年3月、青春映画「スプリング・ブレイク」に出演した。様子がおかしくなったのはこの頃からで、同作の撮影後、何かに怯えるようになったという。心配した母親が尋ねたところ、「見るべきではない、ひどいもの、本当に悪いものを見た。自分を殺そうとしている人たちがいる」と口にし、その後も部屋に閉じこもりがちになったそうだ。

1983年3月、18歳のときアル・パチーノ主演のギャング映画「スカーフェイス」の撮影に参加。しかし、4日目、出演者が銃撃され、人工血液が噴出するシーンの撮影を見て、タミーは泣き叫び現場を後にする。このとき、彼女が必死の形相でマネーロンダリングについて何かを口走っていたとの証言がある。タミーが恐怖と不安に支配されていたことは容易に想像がつく。もしかしたら頭の中に妄想が渦巻いていたのかもしれない。が、彼女はその具体的な理由を決して説明しなかった。そこで母親リンダは娘をメンタルクリニックに連れて行き、徹底的な検査を受けさせた。薬物やアルコールの使用の証拠は見つから

タミー・リン・レパート。生きていれば2023年3月現在、58歳

なかったものの、観察のために72時間入院。医師の許可を得て退院したが、その後も「何かが起こったら、きっと復讐して。〝彼〟はまだ私を殺そうとしている」と理解不能な言葉を母親に投げかけたそうだ。

タミーが最後に目撃されたのは退院から2日目の1983年7月6日。この日、彼女は友人男性のキース・ロバーツと車でフロリダ州のココアビーチに向かう予定だった。が、ドライブ中に口論となり、15時頃、ビーチにあるビルの駐車場で降車。その後、タミーは叔母に3回電話をかけ緊急を知らせるメッセージを留守番電話に残し、続いて友人にも3回電話をかけたが相手が出ず、そのまま姿を消した。

失踪届を受けた警察は、当然のように行方不明当日にドライブをした友人のキースに疑いを向ける。しかし、彼と失踪を結びつける証拠も皆無。そこで、当時「ビューティー・クイーン・キラー」の異名をとった連続殺人鬼、クリストファー・ワイルダー（1945年生）を容疑者として浮上させる。ワイルダーは1984年2月頃から少なくとも12人の女性を誘拐、8人を殺害し同年4月13日に警察との銃撃戦で死亡したのだが、1983年頃からレイプを働いており、最初の犠牲者はココアビーチからわずか数マイルのところにある商店街から誘拐されてい

容疑者としてクリストファー・ワイルダー（上）とジョン・ブレナン・クラッチェリーの2人のシリアルキラーが浮上したが、タミーの失踪との関連は見つけられなかった。クラッチェリーは1997年に終身刑を受け2002年に獄中で自殺

た。タミーもまた彼の餌食になったのではないか。母リンダはワイルダーが「スプリング・ブレイク」の撮影中に娘に接近、その後誘拐したとして100万ドルの訴訟を提起したものの、ワイルダーの死によって訴訟は取り下げられ、警察も失踪との関連を見出だせなかった。もう1人、容疑者として着目されたのが「吸血レイプ魔」として知られる連続殺人鬼、ジョン・ブレナン・クラッチェリー（1946年生）だ。彼は1979年から1985年にかけフロリダ州をはじめバージニア州、ペンシルベニア州などで誘拐・強姦を繰り返し最大30人の女性を殺害したとされ、タミーもクラッチェリーの犠牲者の1人とも考えられたが、これまた関連づける証拠は出なかった。

警察はこれまで少なくとも14の身元不明の遺体を調査し、その全てがタミーではないと結論づけている。果たして、真相が明らかになる日は来るのだろうか。

エマヌエラ・オルランディ失踪事件

フルートのレッスン帰りにこつ然と姿を消したバチカンの美少女

1983年6月22日、バチカン市国で当時15歳の少女エマヌエラ・オルランディがフルートのレッスンの帰りに行方不明となった。この日、エマヌエラはレッスンに遅刻したうえ練習に集中できない様子で18時50分頃に早退。このとき彼女がバスに乗って赤毛の女性客と話していた、大きなＢＭＷに乗り込んだなどの目撃証言があるが、その日の夜、エマヌエラは自宅の姉に電話をかけエイボン化粧品から仕事のオファーを受けたと話したのを最後に失踪する。

家族から連絡を受けた警察が捜索を開始するとともに、エマヌエラの顔写真と身体的特徴、自宅の電話番号を複数の新聞に公開すると、多くの情報が寄せられた。ある男性は自分のガー

エマヌエラ・オルランディ。地元では美少女として有名だった

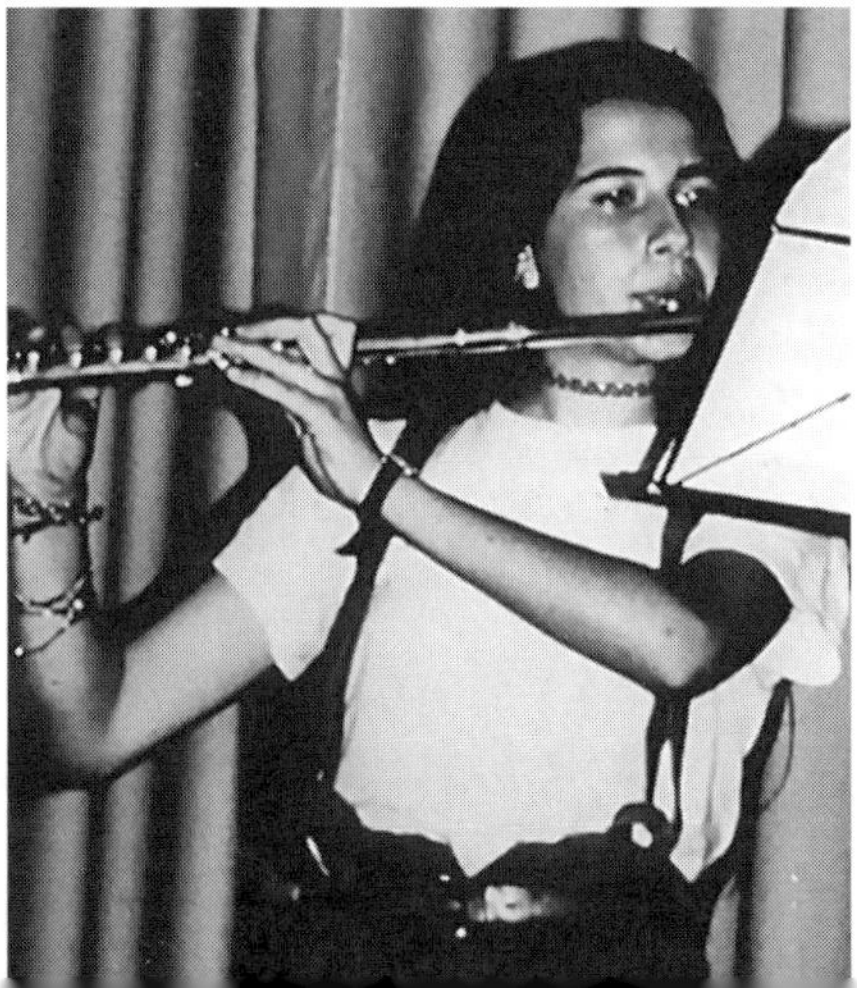

ルフレンドがエマヌエラの特徴と一致する少女が広場でフルートを演奏し「バーバラ」という名前で化粧品を売っている光景を見たと報告し、別の男性からもエマヌエラによく似た少女が「バーバラ」と名乗り他の女性と一緒に化粧品を売っていたとの情報を寄せた。バーバラと化粧品。ここに失踪の鍵が隠されていそうだが、事件解決には至らなかった。

同年7月3日に、法王ヨハネ・パウロ2世がエマヌエラが誘拐された可能性のあることを公に表明。その2日後にはオルランディ家に匿名の電話がかかり、1981年に法王を銃撃したトルコ人のメフメット・アリ・アジャ（1958年生。懲役19年）の釈放を要求するため、ある組織が彼女を誘拐したと告げた。翌6日、今度はアメリカ訛りの男性がイタリアの大手通信社ANSA通信に電話をかけエマヌエラとアジャの交換を要求、具体的に国会議事堂近くの公共広場を交換場所と指定してきたものの、その後連絡は途絶えてしまった。

エマヌエラがアジャを支援する組織に誘拐された可能性は否めない。実際、アジャは刑務所に収監中、イタリアのRAI国営テレビのインタビューに応じ、エマヌエラが修道院で危険のない状態で生活してい

情報提供を求めるポスター

エマヌエラ誘拐の疑惑が囁かれている
マフィアのボス、エンリコ・デ・ペディス

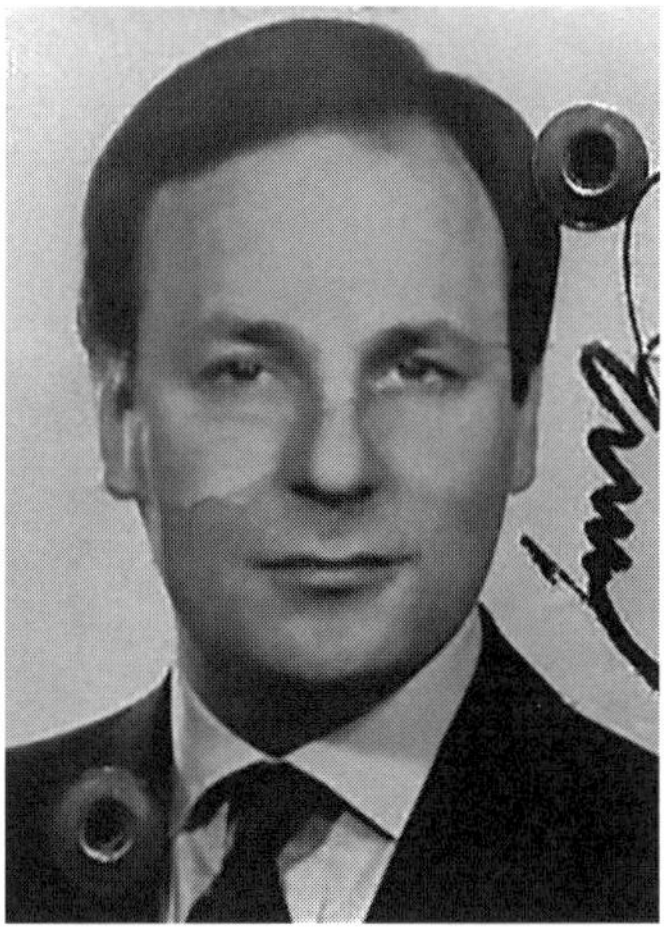

ると発言している。一方、裏社会の関与を唱える説もあり、それによると、ローマを拠点とするマフィア「マリアナ・バンド」の元リーダー、エンリコ・デ・ペディス（１９５４年生）の指示で組織のメンバーがエマヌエラを誘拐・拉致したのだという。目的は金。デ・ペディスがミラノに本拠地を置いていたアンブロシアーノ銀行の破綻（１９８２年）で失われた資金を取り戻すため、バチカンを脅迫しようと誘拐を命じたらしい。ペディスは１９９０年に暗殺されたが、後にその遺体と一緒にエマヌエラもローマ・バシリカ聖堂に埋葬されているとのタレコミが入り捜索が行われたものの、エマヌエラと一致する人骨は発見されなかったという。

また、２０１８年にバチカンで正体不明の骨片が発見されエマヌエラではないかと話題になったが、検査の結果、別人と判明。さらに２０１９年、エマヌエラの家族が「彼女はバチカンのチュートン墓地に埋葬された」と書かれた匿名の手紙を受け取り「天使（像）が指している場所（墓）を見てください」という指示に従い、警察が墓を発掘したところ2体の遺体が発見されるも、どちらもエマヌエラではなかった。失踪から40年。彼女はどこかで密かに生きているのか。２０２３年1月、ローマ教皇庁は、親族の求めに応じ、過去の捜査資料を精査し直すなど再調査を行うことを発表した。

アンソネット・ケイディート事件

誘拐から1年後に本人から電話、5年後にレストランで走り書きのメモを発見

1986年4月6日の早朝、アンソネット・ケイディート（当時9歳）が米ニューメキシコ州の自宅で誘拐された。前日の夜、シングルマザーの母ペニーは友だちと地元のバーに行っており、自宅にいたのはアンソネットと妹のウェンディ、彼女たちのベビーシッターの3人だった。

妹のウェンディによれば、夜中の3時頃にドアをノックする音が聞こえたそうだ。姉妹はまだ起きており、アンソネットがドアの向こう側の人物に「誰？」と聞いたところ「叔父のジョーだよ」と返ってきた。その言葉を信じた彼女がドアを開けると、いきなり2人の男に体をつかまれ、茶色のワゴン車に乗せられ連れ去られてしまう。警察は犯人が叔父の名を騙ったことからケイディート家のことを知る人物として捜査を開始するが、疑わしい者は捜査線に浮上しなかった。

1年後、警察はアンソネットと名乗る少女から、必死に助けを求める電話を受け取る。彼女は自分の居場所を

アンソネット・ケイディート。事件当時9歳

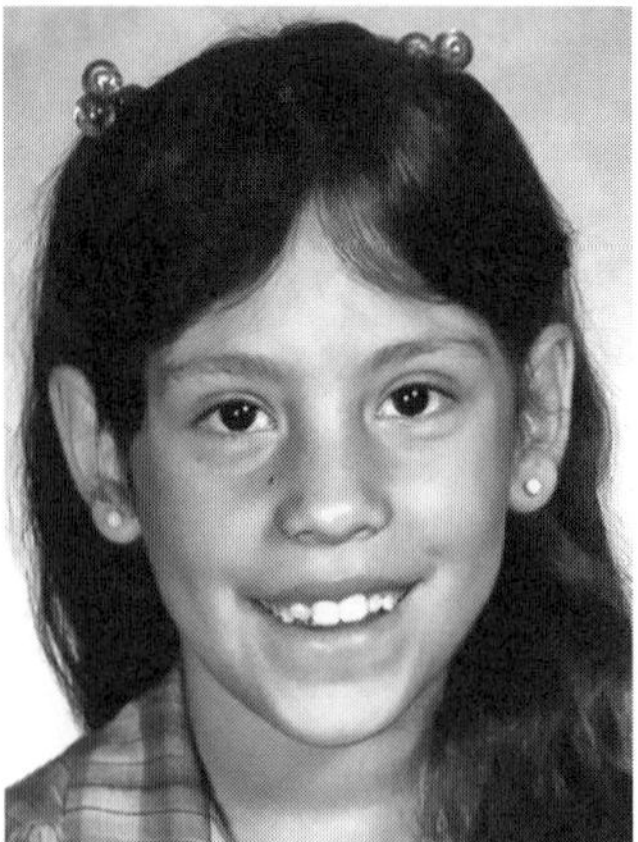

ネバタ州のレストランでアンソネットらしき少女が残したメモ（上）。
警察が2022年に作成・公開した36歳のアンソネット

警察に詳しく教えようとしていたが、話の途中で男が「誰がこの電話を使って良いと言った！」と怒って叫ぶ声が割り込んできて、彼女の叫び声とともに電話は切れしまう。このとき録音された音声を聞いた母親は少女の声が間違いなくアンソネットのものと断言。一方で男の声は、聞いたことがなく面識のある人物ではないと証言したそうだ。

さらにそれから4年後、ネバダ州のレストランで働いていたウェイトレスが、食器をしきりと叩いて彼女の注意を引こうとする10代の少女に出会った。少女はぼさぼさ頭の2人の男と一緒だったが、ウェイトレスが食器を回収するたびに、少女が自分の手を強く握ってくる。何か不審なものを感じつつも、彼らが会計を済ませ店を出た後、テーブルを片付けていたところ、ウェイトレスは少女が食べていた食器の下に驚くべきものを見つける。紙ナプキンに「助けて」「警察を呼んで」とメッセージが記されていたのだ。後の調べで少女の外見がアンソネットに似ていたことはわかっているが、間違いなく本人だったかどうかは不明。２０２３年３月現在、アンソネットは行方不明のままである。

アンジェラ・ハモンド事件

緑色のトラックに乗った男に誘拐された可能性濃厚

1991年4月4日、米ミズーリ州に住む妊娠4ヶ月の女性アンジェラ・ハモンド（当時20歳）が婚約者のロブ・シェーファーに公衆電話から電話をかけたのは23時頃のことだ。この日、彼女はロブと会う約束をしていたが、昼間に友だちと遊び疲れたので今夜は行かれないことを伝えるためだった。ロブによれば、会話の最中、アンジェラは緑色のトラックが公衆電話の区画を何度も周っていることを気味悪そうに話していたそうだ。やがて、その車は彼女のそばに停まり車中から出てきた男がアンジェラの隣の公衆電話に向かう。が、男は再びトラックに戻り、懐中電灯を取り出して何か探しものでもするかのように地面に光をかざ

誘拐・拉致されたと思われるアンジェラ・ハモンド

当初犯人に疑われた婚約者のロブ・シェーファー

した。不安な気持ちを抑え、アンジェラは男に話しかけ、電話を使いたいなら使っても良いと言ったが、彼は「ノー」と返答。再び探しものを始めた直後、ロブは電話越しにアンジェラの叫び声を聞き、電話はその直後に切れてしまった。

彼女の身の危険を察知したロブはすぐに、アンジェラが使っていた公衆電話のもとへ車を走らせる。その途中、彼女が話していた車の特徴にそっくりなトラックが反対車線を走り去るのを目撃。しかも、トラックの中で彼女らしき人物が自分に助けを求め叫んでいるのを見たそうだ。ロブは即座にUターンし追跡したが、途中で車のトランスミッション（変速機）が故障し、トラックを逃してしまったという。

以上は全てロブの証言で、警察はロブが事件に関与しているものとみて、彼をウソ発見器にかける。結果はシロ。さらに、2人の目撃者が現れ、アンジェラの失踪後まもなく事件が起きた公衆電話の近くで特徴にあったトラックと怪しげな男を見たという証言が得られた。ロブは犯人ではなかったのだ。

実はアンジェラが住むミズーリ州では、この事件が起きる2ヶ月前にも、コンビニで働く女性店員が誘拐されており未解決のままになっていた。警察は同一犯と睨みその行方を追ったが、2023年3月現在、犯人はもちろん、アンジェラも見つかっていない。

アイオワ・女性キャスター失踪事件

本人所有の車に正体不明の掌紋、地面に人を引きずったような跡が

1995年6月27日午前3時30分、米アイオワ州メーソンシティに本拠地を置くテレビ局KIMTの女性プロデューサーは焦っていた。自分が担当する6時30分開始のニュース番組のキャスター、ジョディ・ハイセントルート（当時29歳）が出勤してこないからだ。プロデューサーが電話をかけると、ジョディが出て「すいません。寝坊しました。午前4時には到着します」と返答。プロデューサーはひとまず安堵し電話を切った。

ジョディは将来キャスターになるべく、ミネソタ州立セントクラウド大学でマスコミュニケーションとスピーチコミュニケーションを学び博士号を取得。卒業後、短期間の航空会社勤務を経て、アイオワ州とミネソタ州の小さなテレビ局のキャスターを務めた後、大手テレビ局CBS系列のKIMTに転身。明るいキャラクターでアイオワの朝の顔になっていた。もちろん、遅刻したこと

番組出演当日の朝、自宅アパート近辺で姿を消した
ジョディ・ハイセントルート。生きていれば2023年3月現在54歳

車の傍に片方だけ落ちていた本人所有のシューズ

など一度もなく、プロデューサーは何の疑いもなく彼女を待った。が、午前4時を過ぎ5時になってもジョディは現れず、電話にも誰も出ない。プロデューサーは急遽別のキャスターを登用。7時頃、警察に連絡した。

通報を受けた地元警察がジョディの住むアパートに駆けつけると、彼女所有の日本車マツダの赤い車が駐車場に停められたままになっていた。車の周りには人が争ったような痕跡があり、車のキー、シューズ(片方だけ)、ヘアドライヤーが散乱、さらに車体に正体不明の掌紋がべったり付着し、車外の地面に人を引きずったような跡が確認された。また、近所への聞き込みの結果、午前4時前後に女性の悲鳴を聞いたとの証言も得られた。こうしたことから、警察はジョディが髪を乾かしながら車に乗り込んだところ、何者かに襲われ車外に引きずり出され拉致・誘拐された可能性が高いとして捜査を開始する。ちなみに、この事件は当日の夜、彼女が勤務するＫＩＭＴで速報として流された。

有力な目撃証言もないなか、警察が最初に疑惑の目を向けたのは、ジョディと同じアパートの別の部屋に住むジョンという名の老人男性だった。彼は当時妻と離婚協議中だったが、日頃からジョディと親しくしており、時々近所のバーで酒を飲み交わす間柄だった。さらに所有する船にジョディの名前を付けていたことなどから、警察はジョンが一方的に彼女に好意を抱き犯行に及んだ可能性があるとにらんだものの、怪しい点は全く見つけられなかった。また、失踪前年の１９９４年10月、ジョディが山をハイキング中に黒いトラックがピタリと彼女の真後ろに付け、ずっと後を追いかけてくると警察に連絡していたことが判明したが、これも失踪との関連は不明のままだった。

その後、警察はもちろん、彼女の家族が探偵を雇い捜索を続けるも進展はなく13年が経過した２００８年6月、アイオワの新聞社にジョディの84ページに及ぶ日記が届く。消印はアイオワ州のウォータールー。しかし、差出人の名前も住所も一切記載なし。数日後、警察は差出人が名乗り出て、元メーソン市警察署長の妻であると特定されたと報告したが、彼女がどんな動機で日記を郵送したのかは明らかにしなかった。

失踪から16年後の２０１１年6月、家族がジョディの死亡届を提出し受理される。が、その後もジョディ失踪に関する世間の関心は高く、２０２２年1月、大手テレビ局ＡＢＣのニュース番組「20／20」が事件を取り上げた。番組では失踪当時、アイオワ州メーソンシティに住んでおり、後に第1級犯罪性行為、誘拐の罪で懲役22年を言い渡されていたトニー・デファン・ジャクソン（１９７４年生）と事件の関与について言及。服役中のジャクソンにインタビューを試みたが、彼は明確に関与を否定した。

大手テレビ局ABCが事件との関与を言及した連続強姦犯、トニー・デファン・ジャクソン。本人は犯行を全面否定している

大量殺人鬼、ペドロ・ロペス失踪事件

300人以上の少女を亡き者にした「アンデスの怪物」が行方不明に

ペドロ・ロペス（1948年生）は、コロンビア、エクアドル、ペルーにて合計300人を超える少女を殺害し「アンデスの怪物」と呼ばれた極悪犯である。ギネスブックから「個人で最も多くの人間を殺した殺人者」と認定されたこのモンスターは1998年、コロンビアの精神病院から釈放されて以来、消息を絶ち現在もその行方がわかっていない。

ロペスは1948年、コロンビア・トリマ県ベナディーヨで13人兄弟の7番目の子供として生まれた。コロンビア保守党員だった父は彼が生まれる半年前に内戦で死亡。生活のため母は売春婦となり毎晩のように自宅に客を招き入れ、ペドロは喘ぎ声を聞きながら育った。8歳のとき妹に性的虐待を働いたこと

ペドロ・ロペスのマグショット

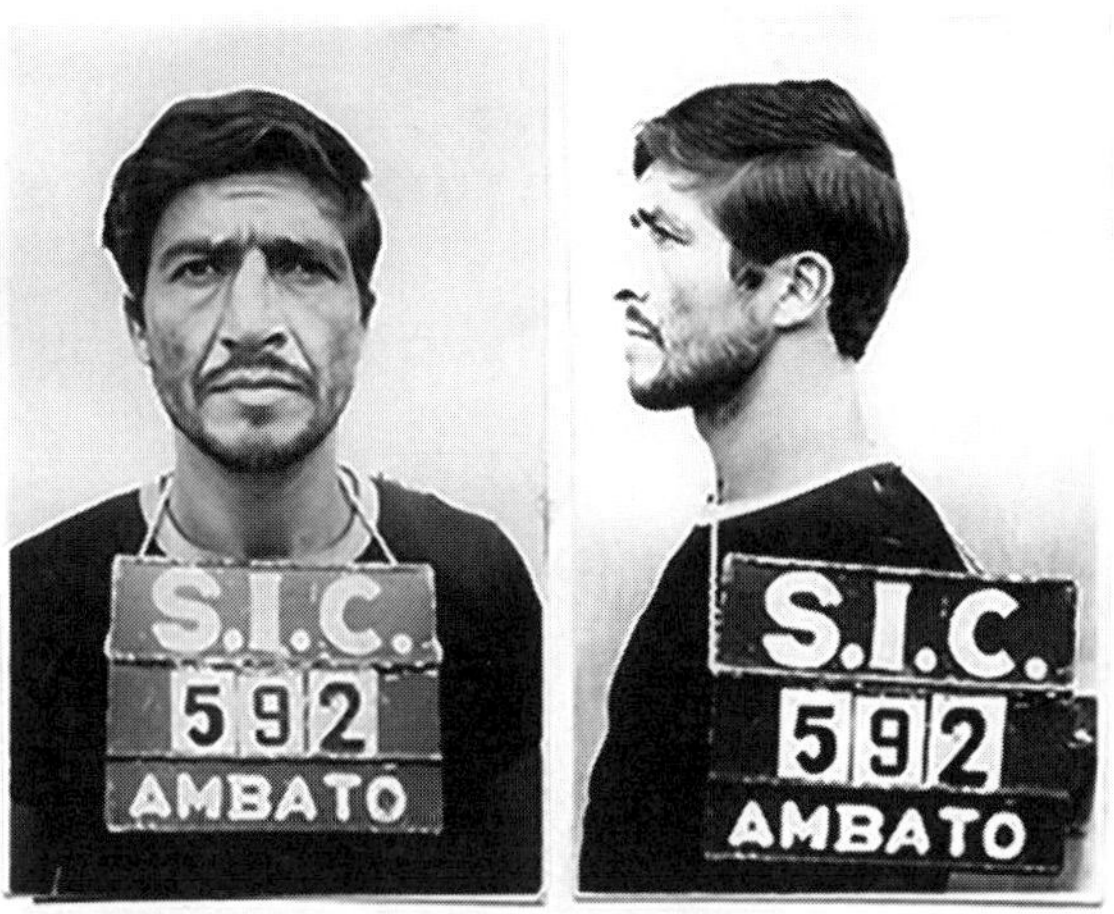

で家を追い出され、首都ボゴタでストリートチルドレンに。残飯を漁りながら暮らしていたところ親切そうな男性に声をかけられ、ついていった先でレイプを受ける。後の証言によれば「俺の純潔は8歳で奪われた。だから、できるだけ多くの少女に同じことをしてやろうと誓った」のだという。

その後、ギャングに加入しコカインを常用するなど荒んだ生活を送っていた21歳のとき、自動車窃盗罪で懲役7年の刑を受け刑務所へ。ロペスはここで4人の囚人から輪姦され、その報復として強姦した囚人たちのうちの3人の喉を刃物で切り殺害する。ただしこれは「正当防衛」と判断され、刑期を2年追加されるだけに留まった。

1978年、釈放。ここからロペスの凶行が始まる。彼が狙ったのは主にインディオの9～12歳の少女。先住民の差別から警察の関心が低いことを計算しての犯行だった。彼女らが1人になったとき、母親の友人を装い声をかけ、人気のないところに誘い出したうえ強姦し絞殺。ロペスはこれを3年間、週2回のペースで実行し、ペルーで100人以上、コロンビアで約100人、エクアドルで約110人を魔の手にかける。

逮捕されたのは1980年4月。エクアドル中央部の街アンバトで12歳の少女が母親が目を離した隙に失踪した。母親が周囲を探したところ娘が見知らぬ男と手をつないで歩いているのを発見、大声を出したことで周囲の人々が男を取り押さえ、警察に突き出した。ロペス31歳のときである。取り調べで300件以上の殺害を自供したロペスに下された判決は禁錮16年。日本では考えられないほど軽い量刑だが、エクアドルは死刑を廃止しており、これが殺人罪に科される最高刑だった。

エクアドルの刑務所に服役していた際の様子

１９９4年8月、エクアドルの首都キトのガルスィア・モレノ刑務所を釈放されたロペスはコロンビアに移送され改めて殺人罪で裁判を受ける予定だったが、正気を喪失していると判断され１９９5年にボゴタの精神病院送りとなる。ここで3年を過ごし１９９8年に保釈。月に一度、裁判所に出頭することが条件として課せられたものの、ロペスは一度も出頭することなく、同年6月に実母からなけなしの金を奪い、そのまま消息を絶つ。最後の目撃証言は１９９９年11月。ボゴタの国家登録局で市民権の証明書を申請する姿を見たとの情報が寄せられたが、行方はわからぬまま。２００2年、インターポール（国際刑事警察機構）はコロンビア政府にロペスの指名手配を要請した。

ロペスの失踪は現在も未解決である。生死の状態も定かではない。ただ、２０１2年、コロンビア・ボヤカ県の少女が殺害された事件について、コロンビアのニュース番組はロペスの最初の犠牲者と被害状況が似ていることから「アンデスの怪物による犯行の可能性がある」と報じている。稀代の連続殺人鬼ペドロ・ロペスは今もどこかで獲物を狙っているのかもしれない。

女子大生、リア・ロバーツ失踪事件

誰にも告げず旅に出た1週間後、不自然な状態で愛車を発見

2000年3月11日、米ノースカロライナ州ダーラム在住の女子大生、リア・ロバーツ（当時23歳）が愛車の白いジープで出かけたまま行方不明となった。

リアは地元の高校を卒業後、1995年にノースカロライナ州立大学に入学、文化人類学を学んでいたが、20歳のとき心臓病を患っていた母親が死亡、1998年に自身が交通事故で大腿骨を折る大ケガを負い、翌1999年には父親を亡くしていた。それが影響したのか、彼女は卒業を間近にして中退することを選び、詩作やギター演奏、写真撮影や旅行などを通じて精神世界の探究に没頭、周囲に放浪生活を送る計画があることを話していた。

リアがいなくなった当初、彼女のルームメイトはリアが車で旅に出たものと考えていた。事前にその説明はなかったものの、部屋に所持品をまとめるなど長旅の準備をしていた形跡があり、ペットの猫もいなくなっており、さらにルームメイト宛に翌月の家賃分の現金が入った封書が残されていたからだ。しかし、実姉のカーラが2日前に電話でリアと話していた際、旅に出ることなど一切口にしていなかったことから不安に感じ、3月14日に捜索願を提出。さっそく警察が調べた結果、リアが所持していた亡き父親の銀行口座から、ノースカロライナとカリフォルニアまでを結ぶ高速道路上のガソリンスタンドで給油したこと

未だ行方がわからないリア・ロバーツ。
生きていれば2022年3月現在46歳

や、テネシー州メンフィス近辺のモーテルの宿泊費の支払いを済ませていたことが判明した。この事実から、警察は彼女が誰にも告げず自身の判断で旅に出たものと推定したが、1週間後の18日、予想もしない事態が起きる。カナダとの国境に近いワシントン州ワットコム郡のマウントベイカーハイウェイ近くの森で、大破したリアのジープが見つかったのだ。状況からして彼女が誤って上の道路から車を転落させたことは明らかだった。が、リアの姿はどこにもないばかりか、現場から血痕など彼女が負傷した形跡は一切見つからず、また不思議なことに周囲の木の枝にリアのものと思われる女性の衣服が何着が結びつけられており、さらに車の窓が毛布で覆われていた。車内から発見されたのは、リアのパスポート、キャットフード（飼い猫は未発見）、財布、宝飾品などの貴重品、現金２千５００ドル、運転免許証、現場からほど近いベリントンの街の映画館のチケットの半券、さらに一定期間、人が寝ていたと思わせるなどだった。

地元警察は多くの職員と警察犬を動員し、一帯を捜索するも手がかりは皆無。一方、車両の発見から数日後、ベリントンの映画館の近くのレストランで

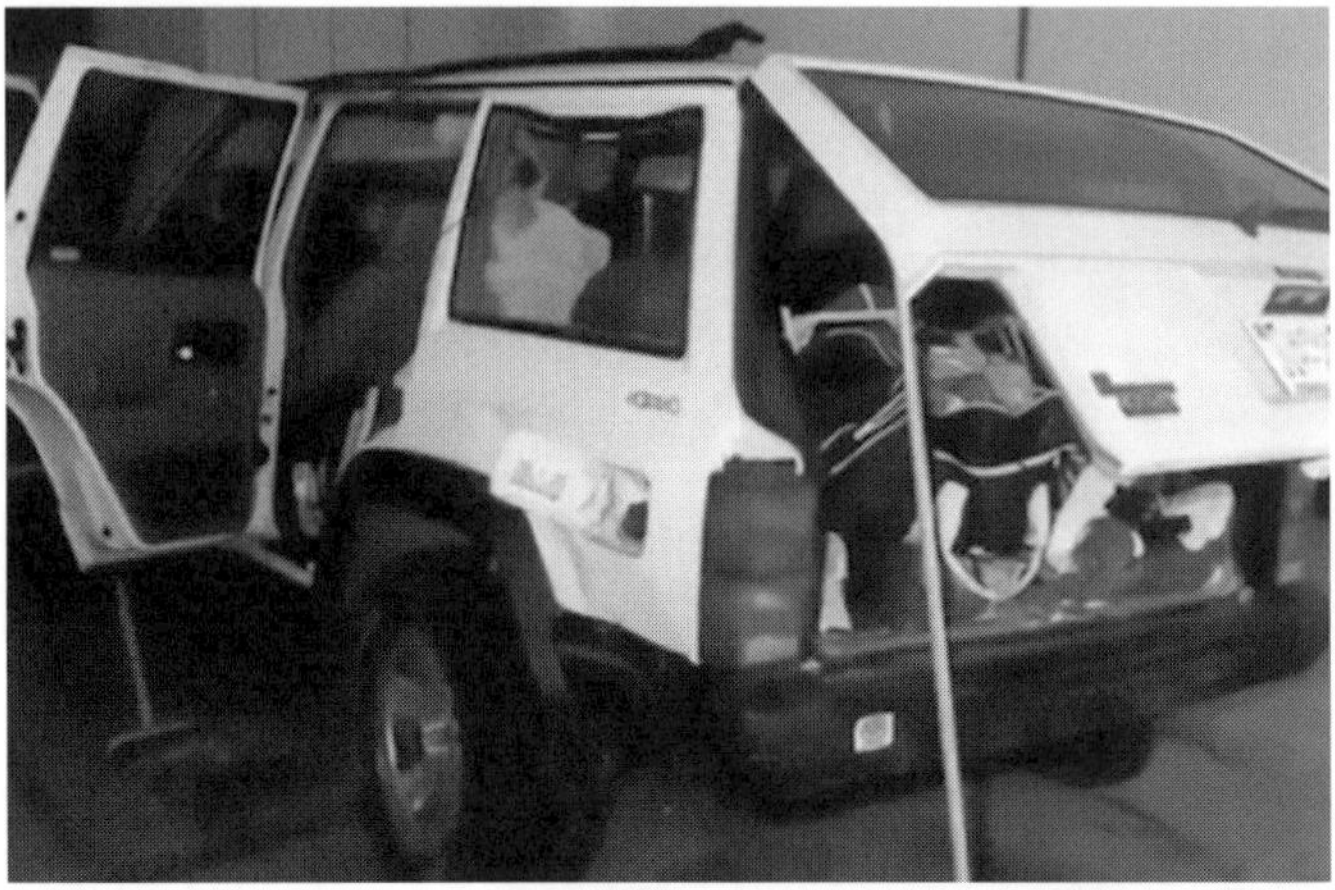

大破した状態で見つかったリアの愛車「チェロキー」

リアが男と一緒にいて、彼女が相手を「ハリー」と呼んでいたとの目撃証言が寄せられた。警察は、この「ハリー」が事情を知っている可能性があるとみて行方を追ったが、消息を掴むことはできなかった。

リアはどこに消えたのか。現場の不自然な状況から、警察内部では、車は意図的に転落させられたのではないかとの推測も生まれた。彼女のジープのスターターリレーの電線が切断されておりアクセルを踏まずとも車を走らせる細工が可能だったこと、毛布が窓を遮り車内に枕があったことなども、他人の関与をうかがわせた。対し、リアが自身で転落し軽傷を負ったものの、その衝撃で記憶を失い数日間、事故車の中で過ごした後、行方不明になった可能性も否定できない。そもそも、なぜ彼女は何の前置きもなく旅に出たのか。真相は未だ解明されていない。

レベッカ・コリアム失踪事件

ディズニー社の豪華クルーズ船から姿を消した女性乗組員

2011年3月、ウォルト・ディズニー社が所有する豪華客船「ディズニー・ワンダー」から乗組員の女性、レベッカ・コリアム（当時24歳）が太平洋航海中に突如行方不明となった。事件は彼女が巨大な波にさらわれ海に転落したものと結論づけられているが、そこには多くの謎があり、ディズニー社が真実を隠蔽しているとの噂も囁かれている。

イギリス・チェスター出身のレベッカは大学でスポーツ科学を学び、英国陸軍のボランティアスタッフとして働いた後の2010年6月、かねてからの夢だった「ディズニー・クルーズライン」の求人に応募、持ち前の明るい性格や積極性が評価さ

レベッカ・コリアム。快活で仕事にも精力的だった

レベッカが乗務していたウォルト・ディズニー社所有の大型客船「ディズニー・ワンダー」

れ、ユースワーカーとして見事に採用を勝ち取る。本社で研修が終わると、ロサンゼルスから出航するワンダー号に乗り込み本格的に業務に参加しメキシコやパナマなど様々な地域を巡るようになった。同号は全長294メートル、乗員乗客3千663人収容可能な大型客船で、船内には11のデッキがあり、客室の他、映画館、スポーツ施設、レストラン、プール、バーなど娯楽施設が充実。大人から子供まで楽しめるクルーズ船として大きな人気を博していた。

2011年3月21日、レベッカの乗るワンダー号はメキシコのリゾート地カボサンルーカスへ向かうため、ロサンゼルスを出航する。ほどなく彼女はイギリスの両親に「船が今、出航した。仕事が忙しくなるから、また後で電話します」とスカイプで伝えた。これは業務に就く際、親思いの彼女がいつもとっている連絡で、この日も普段どおりの明るい口調だったという。

ところが、それから12時間経ってもレベッカから両親に電話が入ることはなかった。これほどの長時間、娘から連絡がなかったのは初めて。両親は少し不安を覚えたものの娘が多忙であると自分を納得させ、その日の夜、就寝の準備をしていたところ、自宅の電話が鳴り響いた。ようやく娘からかかってきたと思いきや、電話の相手はワンダー号の社員で「レベッカが行方不明になった」と衝撃的な言葉を口にする。その社員によれば、すでに半日以上、レベッカの姿を誰も見ていないという。

一方、ワンダー号では乗組員総出でレベッカを探し回っていた。この日、レベッカは午前9時の勤務時間になっても姿を見せず、心配した同僚が彼女のキャビンを訪ね初めて失踪が発覚した。船内を隈なく探したもののレベッカの姿はどこにもない。このときワンダー号はメキシコ湾沖の海上を航行しており、船外に出ることは不可能。ならば、彼女はどこに消えてしまったのか。

異常な事態に、スタッフらは船内に設置された膨大な数の防犯カメラを全て確認する。と、その中の1台がレベッカの姿を一瞬捉えていることが判明した。撮影された時間は当日の午前5時45分。場所は「デッキ5」の乗組員専用エリアで、頭を抱え興奮したような様子で誰かと内線電話で口論しているレベッカの姿が映り込んでいた。このとき、近くにいた男性乗組員が「大丈夫？」と声をかけたが、彼女は「はい、大丈夫です」と答え、その場を立ち去ったという。これがレベッカの最後の目撃証言である。

3日後、ワンダー号がロサンゼルスに戻り、捜査

船内の防犯カメラが捉えたレベッカの映像。頭を抱え取り乱している様子が見てとれる

が開始された。担当したのはバハマ警察である。レベッカの失踪は国家の管轄権が及ばない水域で起きたが、ワンダー号の船籍がバハマで登録されていたため、当警察が捜査を担うことになったのだ。

同じ頃、イギリスから両親が駆けつけ捜査の進展具合を警察に尋ねると、「確かなことは言えないが、夜中にプールで泳いでいる最中に誤って海に落ちた可能性がある」という。が、両親はこの見立てをにわかには信じられなかった。レベッカが泳いでいたとされるデッキ5のプールの周囲には、目線よりも高い鋼鉄製の壁が設けられており、それを乗り越えて海に転落するなど考えられないからだ。

ちなみに、バハマ警察から派遣された捜査員は1人だけ。彼が聞き込みを行ったのは950人の乗組員のうちたったの6人、乗客には一切確認していなかった。にもかかわらず、バハマ警察、及びディズニー社はレベッカが巨大波にさらわれ船外に流されたと結論づけ捜査を終える。

同年10月、ジャーナリストのジョン・ロンソンが独自調査を行い、新たな事実が発覚した。当時の乗組員への聞き取りで、ディズニーやバハマ警察は公式に認めた以上のことを知っているが、誰にもこの問題について話すことは許可されていないとの証言が得られたという。また、失踪後にレベッカ名義の銀行口座から現金が引き出され、彼女のフェイスブックのパスワードが何者かによって変更されていることが判明。単なる転落事故ではないことは明白だった。

2016年、レベッカの両親が雇った私立探偵が新たな情報を入手する。失踪当日の天気は良好で巨大波が発生する可能性はほとんどなかったこと、防犯カメラの映像の一部が切り取られタイムスタンプと場所が変更されていたこと、レベッカの姿が映っていたのはデッキ5ではなくデッキ1だったこと、さらに両親のもとに返されたレベッカの私物に彼女の足のサイズとは異なる明らかに男性用と思われるサンダルと汚れた下着があったことから、彼女が性的暴行を受けた可能性があることを指摘した。

そして、2017年になって、驚くべき証言が現れる。レベッカの元同僚女性によれば、自分と彼女は当時同性愛の関係にあり、加えて同僚女性には同じクルーズ船の男性乗組員とも交際していたため、レベッカはそのことを深刻に悩んでいたそうだ。同僚女性は、失踪当夜3人でセックスを楽しんだ後、レベッカが突然いなくなったことから、三角関係の悩みで発作的に彼女が高い壁をよじ登り自殺を図ったこと、そしてその瞬間を捉えた防犯カメラの映像が必ず残されているはずであると証言。ただし、あの夜、レベッカが電話していた相手は決して自分ではないとも付け加えたそうだ。

もし、同僚女性の話が真実で、それが公になれば、ディズニー社のイメージダウンは免れない。果たして真相が明らかになる日は来るのだろうか。

上／レベッカが泳いでいたとされるデッキ5の乗組員専用プール　下／父マイク（左）と母アンマリアは現在も真相を追い求めている

第3章

殺人の迷宮

ベッツィー・アーズマ殺害事件

図書館で刺殺された、男からモテモテの女子大生

1969年11月28日17時前、米ペンシルベニア州立大学の図書館で男子学生2人が1人の男に「誰か、彼女を助けた方が良いんじゃないかな」と話しかけられた。男に誘導されるまま館内書庫の50列目と51列目の間の通路に出向くと1人の女性が倒れている。白いセーターの左胸部から血が滲み、すでに脈がない。2人はすぐに蘇生術を施すとともに大学内の病院に連絡。一方、話しかけてきた男はその間に現場から立ち去っていた。証言によれば、年齢30歳〜40歳、身長180センチ強、体重80キロ半ば、服装はカーキ色のスポーツジャケットとスラックス、髪は茶髪で眼鏡をかけていたという。

被害者は同大学に通うベッツィー・アーズマ（当時22歳）だった。論文作成のため図書館を訪れ何者かに襲われ刃物で刺されたらしい。病院に搬送されたものの意識は戻らず、17時19分、死亡が確認された。

警察は殺人事件と断定し捜査を開始。その日に図書館にいたと思われる学生を中心とした約90人に尋問を行う。が、最も怪しいのは現場から立ち去った不審な男だ。警察は男が事件に関与している可能性が高いとみて行方を追ったものの、結局彼が誰だったのかはわからず仕舞いだった。次に疑われたのが当時ベッツィーが交際していたボーイフレンドである。ベッツィーはモテる女性で、将来、医者の妻になることを望んでいた。が、その彼氏は文系の学部に在籍しており、ベッツィーは事件の数週間前から別れ話を切

ベッツィー・アーズマ（上）と、彼女の刺殺体が見つかった図書館の通路

り出していた。どうやら、医師を目指す別の学生から交際を申し込まれたらしい。しかし、ボーイフレンドには完全なアリバイがあり、医師志望の学生も事件とは無縁であると判明。警察はベッツィーが使用していた図書館の机の近くに複数のポルノ雑誌とソーダの缶が置かれ、さらに地面に精液が付着していたことから、彼女が性的暴行目的で襲われたものとも推定したがベッツィーの遺体にその痕跡はなく、ソーダ缶に付着した指紋や精液も警察のデータベースに一致するものはなかった。

最終的に警察が容疑者として睨んだのは次の3人である。ベッツィーをヌードモデルに使い後に彼女を殺害したと周囲に漏らしていた事件当時40歳の彫刻家、彼女にしつこく交際を申し込んでいたペンシルベニア州立大学の男子学生、ベッツィーと以前交際していた同大学の地質学の教授で事件後に学校を辞めた25歳の男。警察は彼らを徹底的に取り調べるも、いずれも逮捕に相当する証拠はなく、事件はそのまま迷宮化した。

霧積温泉殺人事件

被害女性のカメラに残された5枚の写真

1972年8月12日、群馬県伊勢崎市に住むガソリンスタンド勤務の女性Kさん（当時24歳）が同県安中市松井田町の山中にある霧積《きりづみ》温泉の一軒宿「金湯館《きんとうかん》」に向かった。本来なら母親と弟と3人で出かける予定だったが、母、弟ともに当日になって急用が入り、予定外の一人旅となった。

彼女は同日午前10時頃、父親に伊勢崎駅まで車で送ってもらい、昼12時頃に信越線の横川駅で下車。そこから宿まではマイクロバスを利用するはずだったが、バスがなかなか来なかったため、たまたま通りかかった国鉄職員の車に同乗させてもらい霧積温泉の出張所へ。当時はまだ宿に電話が通じておらず、出張所で宿泊の予約を取った。Kさんが金湯館に泊まるのはこれで3度目。しかし、受付の際、彼女はなぜか初めて泊まる宿と言っていたそうだ。

Kさんが宿泊した金湯館（現在の写真）。推理作家の森村誠一が小説「人間の証明」（1976年発表。1977年に映画化）を執筆した宿として知られ、同作に実名で登場する

ここから金湯館までの約10キロを徒歩で向かおうとするKさんに、出張所の職員は（そのとき彼女が履いていた）ハイヒールではとても無理だと助言。これを受けKさんは近くの雑貨屋でスニーカーを購入したものの、最終的にマイクロバスを待って宿に到着した。その後は食事のとき以外部屋から出てこず、翌13日朝にチェックアウト。Kさんが宿から駅までの道のりを歩いて帰ろうとしたため、見かねた宿の女将が「女性1人だと危ないし、歩いたら3時間以上かかるのでマイクロバスに乗った方がいい」と提案したが、彼女は「1人で大丈夫です」と答え宿を後にした。ちなみに当日の現地の気温は30度を超えていたそうだ。

事件を一面で報じる1972年8月17日付けの上毛新聞

上毛新聞

工事現場に女性の死体

乱暴され殺さる

他で殺し運ぶ

捜索の父親が発見

14時頃、同じ金湯館に泊まっていた親子3人組が旅館から約5キロほどの地点を徒歩で下山するKさんに遭遇、「良かったら（自分たちの車に）乗っていきませんか？」と声をかけたものの、彼女はこの申し出を断り、以降、行方不明となる。

一向に帰宅しないKさんを心配した家族は16日になって警察に失踪届を提出。同時に近隣住民の協力を得て10人体制で旅館周辺を捜索する。と、同日16時30分頃、宿から駅までに向かう途中の林道脇に古びた作業小屋が見つかった。屋内に蝿が群がっているのを不審に感じたKさんの父親が足を踏み入れる。果たして、そこには変わり果てた姿で倒れ死亡しているKさんの姿があった。遺体は目をそむけたくなるほど激しく損傷し、後の調べで右手の3ヶ所に鋭利な刃物で刺されたような深い傷があった他、大小合わせて全身24ヶ所に刺し傷、さらに心臓がえぐられ、肋骨3本が折れていることが判明。現場に出血量は少なかったことから他の場所で殺害された後に小屋に遺棄されたとみられ、それを裏づけるかのように、小屋前の道路にはタイヤの跡が残っていた。

司法解剖の結果、死因は失血死で、死亡推定時刻は13日昼から夕方。親子連れが見かけた後にほどなく何者かに殺害されたことが判明した。そこで群馬県警は100人の捜査員を動員、犯人に繋がる手がかりを求め現場を捜索する。が、遺体のあった小屋から布袋に入ったKさんの所持品43点と、地下足袋による足跡と、犯行に使ったと思われる血が付着した軍手の跡が見つかったくらいで、凶器などの発見はおろか特定にも至らなかった。もちろん、現場が山中だけに目撃証言も皆無である。

そんななか、警察はKさんの所持品の中からカメラに着目。フィルムを現像したところ、現地で撮影したと思われる5枚の写真が残されていた。最初の2枚はチェックアウトする前の13日午前9時に宿のアルバイトの学生が撮ったKさんの立ち姿、3枚目と4枚目は帰路の途中にある池の堰堤付近で誰かに撮影してもらったであろうポーズを取った本人、そして5枚目がKさんが藪の中でぼーっと立っているなんとも

遺体が見つかった作業小屋

Kさん所有のカメラのフィルムに残されていた本人を写した5枚目の写真。誰が撮影したのかは不明

不気味な写真。警察がこれらを地元の上毛《じょうもう》新聞の紙面に公開し情報提供を募ったところ、後日、東京都世田谷区に住む1人の男性から電話が入った。なんでも、13日の昼間に霧積温泉を流れる霧積川に友人と釣りに出かけた際、Kさんと思われる女性に撮影を頼まれ2回シャッターを切ったのだという。しかし、改めて警察に出向き詳細を話すと電話を切った男性がその後現れることはなく、さらに警察の調べで、男性の話した住所や勤務先には該当する人物がいないことが判明した。そもそも上毛新聞は群馬県のみで配布されている地方紙で、その記事を東京在住の人間が見る機会はないはず。よって男性の証言は単なるいたずらとの見方もあるが、一方でこの男性こそがKさんを殺害した犯人で、自己顕示欲と捜査の進展具合を調べるため電話をかけてきたという憶測も流れている。

事件は発生から1年間で延べ8千人の捜査員が導入され、約6千人を捜査対象者、約1千400台を捜査対象車両として警察による懸命な捜査が行われたものの、解決の糸口を見出せないまま、1987年に公訴時効が成立した。

ジャネット・デパルマ殺害事件

あまりに異様な遺体発見状況から悪魔崇拝グループの犠牲になったとの説も

1972年8月7日午後、米ニュージャージー州ユニオン郡スプリングフィールドに住む当時16歳のジャネット・デパルマが行方不明になった。この日、彼女はアルバイト先の衣料品店のシフトに就く前に、電車で友人の家に行くと母親に告げ外出。しかし、ジャネットが友人宅に現れることはなく、夜になっても帰宅しなかったため、心配した両親が翌日、地元のスプリングフィールド警察に捜索願を出す。

何の進展もないまま6週間が過ぎた9月19日、地元の犬が腐敗した人の右前腕を飼い主のもとに持ち帰った。通報を受けた警察が一帯を捜索したところ、地元の人々から「悪魔の歯」と呼ばれるスプリングフィールドのウーダイユ採石場内の崖の上で、右前腕だけが欠けたジャネットの遺体が見つかる。その光景は異様で、遺体を中心に四方を丸太が棺のように囲み、頭上にはアーチ状に並んだ5個の石、遺体の周りに複数の樹を重ねた十字架が置かれていた。さらに現場では殺害されたと思しき犬や猫の死骸が複数見つかり、その一部

右前腕がない殺害遺体で見つかったジャネット・デパルマ

事件を一面で報じる1972年8月17日付けの上毛新聞

はヒモで木に吊るされ、一部は瓶の中に入れられていたという。また、現場の木には掘られた矢印があり、それに従って進むとジャネットの遺体にたどりつくような細工が施されていたそうだ。

検死の結果、遺体は腐敗していたものの弾丸を受けた跡や刺し傷、骨折などはなく、首を絞められ窒息死させられた可能性が高いものの、確かな死因はわからなかった。殺人事件として捜査に乗り出した警察は、ジャネットが過去に麻薬中毒に苦しんだ経験から薬物依存に悩む同じ10代に向け、地元の教会が実施する支援プログラムに定期的に参加していたことを把握。事件と薬物との関連を疑ったが、現場にその形跡はなく、遺体からも薬物反応は検出されなかった。ただ、不思議なのは体内から異常なほど大量の鉛が発見されたこと。これが死因と関係しているのかは不明のままだった。

事件発覚から2週間後、地元の新聞各紙が遺体の異常な発見状況から、ジャネットが悪魔崇拝やオカルト信仰などのカルト集団の犠牲になった可能性があると報道。実際に現場周辺には「魔女の森」と呼ばれるウォッチング・リザベーションという森があり、カルト集団などによる黒魔術や悪魔的儀式は行われているとの噂が囁かれていた。

その後、警察は１９７４年に遺体発見現場から車で約45分の森でジャネットと同じ年頃の少女の殺害遺体が見つかった事件、ニュージャージー州で起きたコロンビア大学の女子大生が首を絞められ殺害された事件（どちらも未解決）と同一犯の可能性があるとみてすり合わせを行ったが、最初の事件はジャネットの体にはなかった性的暴行の痕跡があり、2つ目は被害者が行方不明になった数日後に身代金を要求する

遺体が発見されたスプリングフィールド・ウーダイユ採石場内の崖と、遺体発見の状況を示した図

電話がかかってきたことなどから、両事件との関連はないと判断。また、ジャネット殺害の1年前にニュージャージー州の会計士ジョン・リストが家族を殺害し逃亡した事件（1989年逮捕）で、リストが、生前魔術の練習をしていた娘にひどく怒っていたことから本事件との関わり合いも疑われたものの、手がかりは見出だせなかった。

　解決の端緒が見つからないまま4分の1世紀以上が過ぎた1990年代後半から2000年代初頭、都市伝説などを扱うニュージャージーの雑誌『WNJ』がジャネットの死に関する数通の匿名の手紙を受け取ったとして事件に注目、警察に捜査情報の開示を求めた。が、警察は1999年のハリケーンで資料を失ったと発表。事件の真相は未だ闇に葬られたままである。

シャーリー・フィン射殺事件

警察・政治家の汚職を告発しようとして消された売春宿のマダム

1975年6月、オーストラリアで売春宿を営む女性シャーリー・フィン（当時33歳）が殺害された。犯人は今も見つかっていないが、本事件には政府の人間が関与しているとの憶測が今も絶えない。

シャーリーが風俗産業の道に入ったのは21歳のとき。夫が事故で重症を負い仕事を失い、3人の子供を養う手段としてビクトリア州メルボルンでトップレスダンスやボディペインティングの店を始めたのがきっかけである。ほどなく店の女性と男性客との売春を斡旋するようになり1969年、警察が逮捕。有罪判決を受け、家族は街から追放されてしまう。

しかし、売春ビジネスの旨味を知ったシャーリーはその後、

シャーリー・フィン。政界、実業界にも顔が利く有名人だった

警察公認の売春宿を経営する男性と関係を持ち、そのコネで西オーストラリア州サウスパークに同州警察の暗黙の承諾のもと売春宿をオープンする。店は繁盛し、彼女は高価なガウンやジュエリーを身にまとう実業家に転身。客には警察官や教師、政治家などもいたそうだ。

ところが、終わりは突然やってくる。1975年6月23日、サウスパークのゴルフクラブの駐車場にオーストラリア国産車「ダッジ・フェニックス」が停められているのを巡回中の警察官が発見。車内を確認すると、後頭部に4発の銃弾が撃ち込まれ処刑スタイルで死亡しているシャーリーの殺害遺体が見つかった。彼女が身につけていた高価なダイヤなどは手つかずの状態だったことから、警察は金品ではなく殺害自体を動機として捜査を開始する。

しかし、捜査は遅々として進まず、警察はそのまま何十年も事件を放置することになる。明らかに何かしらの意図が働いており、人々の間で、それはシャーリーが警察や政治家の秘密を握っていたため暗殺されたのではないかとの憶測を呼ぶ。

シャーリーの射殺体が見つかった本人所有のダッジ・フェニックス

車内を調べる捜査員

事件から42年後の2017年、調査報道に乗り出した新聞やテレビが、これまで隠されていた情報を公にする。事件当日はサウスパークの税務公聴会が開かれた日で、シャーリーはその数日前から知り合いの政治家や実業家、警察官が汚職を働いていることを告発すると彼らを脅していたらしい。つまり、彼女は口封じのため殺害されたとみられ、当時、警察は現職の警察官3人を含む5人に容疑者を絞り込んでいたという。シャーリーの元運転手によれば、彼女は当時の警察大臣の愛人だったが、その関係が裏目に出て命を奪われたという。さらにシャーリーの親友は、殺人の2日前に警察長官に就任しようとしていた人物から殺害の脅迫を受けたことを彼女から直接聞いたと証言。犯行は警察によって実行された可能性が高いものの、事件当初から上層部より捜査の中止命令が出されたとも語った。

その他、別の売春宿のマダムが週に2千ドルの協力金を警察に支払わないとシャーリーと同じ運命に遭うと脅されたこと、西オーストラリア大学の元警備員が事件当夜に現場でシャーリーと正体不明の男が会っているのを見たと警察に証言したものの無視されたこと、1980年代後半にある女性が警察官の恋人男性から自分の同僚がシャーリーを殺害したと聞いたことなどが明らかになった。

警察が事件に関与したことはもはや疑いようはないだろう。しかし、警察はすでに正式に捜査の終了を発表。真相が解明される可能性は極めて低い。

米オークランド「ベビーシッター」事件

4人の少年少女を殺害し、遺体をきれいに洗浄した正体不明の犯人

1976年2月15日、米ミシガン州オークランド郡ファンデールに住む当時12歳の少年マーク・ステビンズが自宅を出たまま行方不明になり、4日後の19日、付近のビルの駐車場で遺体となって発見された。異物による性的虐待を受けた痕があり、後頭部の左には2つの裂傷、直接の死因は窒息死だった。奇妙なのは、遺体がきれいに洗われており、手の指にマニキュアが施されていた点だ。それはまるで「雪の中で埋葬」されているような姿だったという。

10ヶ月後の同年12月22日、ロイヤルオーク在住のジル・ロビンソン（当時12歳）が夕食

犠牲者。上段左からマーク・ステビンズ、ジル・ロビンソン。下段左からクリスティン・ミケリッチ、ティモシー・キング

目撃情報から作成された犯人と思しき男の似顔絵

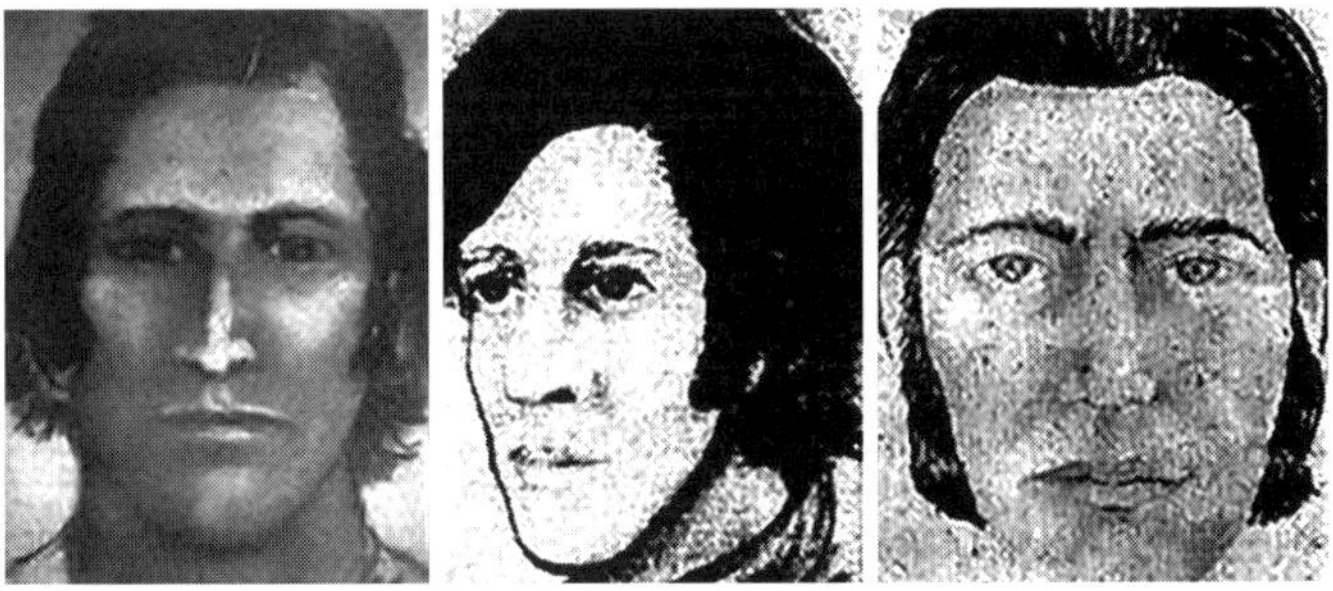

の準備で母親と口論になった挙句に家出し行方不明となる。翌日、彼女の自転車が地元のおもちゃ屋の前で発見され、さらに3日後の26日、隣町トロイの警察署のそばの高速道路沿いで殺害遺体が見つかる。顔面をショットガンで撃ち抜かれており、遺体はやはり丁寧に洗われていた。警察が同一犯とみて捜査を開始した矢先の翌年1977年1月2日15時頃、今度はロイヤルオークの隣町バークレーで、クリスティン・ミケリッチ（同10歳）がセブンイレブンで買い物をしたのを最後に失踪し、19日後の同月21日、路上で着衣のまま殺害されている姿を地元の郵便局員が発見した。死因は窒息死で、今度もまた遺体が洗浄されていた。2ヶ月後の3月16日20時半頃、バーミンガム在住の少年ティモシー・キング（同11歳）がスケートボードでドラッグストアに出かけたまま行方不明になった。警察に捜索願を提出した両親はテレビにも出演し「あの子はケンタッキーフライドチキンが大好きでした。帰って来たら好きなだけ食べさせてあげたいと思います」と涙ながらに訴えた。が、その願いは叶わず、6日後の3月22日、2人の少年が側溝に横たわるティモシーの遺体を発見する。死因は首を絞められたことによる窒息死で、今回は遺体が洗浄されていたことはもちろん、衣服が洗濯されアイロンまでかけられていた。さらに検死の結果、彼の体内からケンタッキーフライドチキンが

発見されたことから、犯人が両親の訴えをテレビで見た後に殺害した疑いが濃厚となる。

新聞やテレビは、犯人が遺体を洗うなど〝世話〟をしていたことから「ベビーシッター」と命名し、連日のように報道した。一方、最後の犠牲者ティモシーが失踪した直後、警察に「スケートボードを抱えた少年が、ドラッグストアの駐車場で男と話していた」との目撃情報が寄せられていた。男は青に白いストライプの入ったAMCグレムリンに乗っていたという。男は25歳から35歳ぐらいの色黒の白人で、髪はくしゃくしゃ、揉み上げがあったという。この情報から警察は似顔絵を作成し公開、同時に目撃された車を所有するオークランド郡の全ての男性を調べたが、容疑者逮捕には至らなかった。

ティモシー殺害の数週間後、警察の捜査に協力していたデトロイトの精神学者、ブルース・ダントー博士のもとに「アレン」と名乗る男から手紙が届いた。なんでも彼は犯人「フランク」のルームメイトで、犯行にも加担していたという。アレンによれば、フランクはベトナム戦争に従軍、現地の子供を殺害したことからPTSD（心的外傷後ストレス障害）を発症し、裕福な家庭の子供に報復を働いたのだという。よくわからない動機だが、ダントー博士は念のためにアレンと連絡を取り会うことを約束したものの彼は現場には現れず、この手紙は単なるいたずらだった可能性も高い。

その後、警察は1970年代に児童ポルノや児童に対する性犯罪で逮捕歴のある者が犯人と推定し、オークランド郡在住の1人の男に疑惑を向ける。男の毛髪と、マークとティモシーの遺体発見現場で見つかった毛髪が酷似していたからだ。が、後のDNA鑑定で男は事件と無関係と判明。また、ティモシーの父容疑者として、児童ポルノ組織に関与していたセオドア・ランボルギーニ(上)とレイプ罪で終身刑を受けているアーチ・スローンが浮上しているものの犯人特定には至っていない

の弟が、ゼネラル・モーター社の幹部の息子で児童ポルノに関与していた男が事情を知っているとの情報を寄せ警察が関心を寄せたものの、男は1978年に自殺を遂げていた。

2007年3月、警察は1970年代に児童ポルノ組織に関与していた元自動車整備工のセオドア・ランボルギーニ(同65歳)を逮捕し、彼こそが「ベビーシッター」の最有力容疑者との声明を発表する。警察はランボルギーニにポリグラフテストを受ければ児童ポルノについては免罪するとの司法取引を持ちかけたが、彼はこれを拒否。ますます疑惑が強まったものの、その後、ランボルギーニが起訴されたとの報道はない。また2019年にワーナー・ブラザーズ・ディスカバリーのドキュメンタリー番組が、1983年に児童へのレイプ罪で終身刑を受けていたアーチ・スローン(2019年当時70歳)の車で、犠牲者と同じ型のDNAが発見されたと報じたものの、こちらもその後の進展はない。

新宿歌舞伎町ラブホテル連続殺人事件

被害女性3人の体内から覚醒剤の成分が検出

東京・新宿歌舞伎町。居酒屋、キャバクラ、ホストクラブ、そしてラブホテルが集中するこの全国有数の歓楽街で1981年、3人の女性が連続して殺害される事件が起きた。ホテルの部屋という密室で発生した当事件は、個人のプライバシー保護の観点から監視カメラが設置されていなかったことや、犯人の似顔絵が公開されていないことなどから、現在も未解決のまま宙づりになっている。

第1の事件が発覚したのは1981年3月20日。ラブホテル「ニューエルスカイ」401号室に宿泊した客がチェックアウトの午前10時を過ぎても退出する気配がないため従業員が部屋を確認したところ、室内で死亡している女性を発見する。通報を受け現場に赴いた警視庁の調べで、女性は当時キャバレーに勤務していた45歳の和田露子さんで、同日午前1時10分頃、20代と思しき男性とチェックインし、男性が料金を払わず1人で退出する午前7時頃までに首を絞められ殺害されたものと判明、事件現場からは覚醒剤の成分が発見された。兵庫県神戸市出身の和田さんは中学卒業後、地元の会社勤務を経て22歳で上京。29歳のとき、勤務先のキャバレーで知り合った妻子ある男性と同棲を始め、32歳のとき男性との間に男の子を出産。翌年に前妻と離婚した男性と入籍したものの、38歳で再び水商売の世界に戻り、42歳のとき夫と

事件が起きた新宿歌舞伎町のラブホテル街。犯行現場となったホテルはいずれも現存していない
（写真はイメージ。本文とは直接関係ありません）

子供を残して家を出て以降は都内のキャバレーやピンクサロンを転々としながら生活していた。喘息の持病がある夫は1978年に50歳で死去。生まれつき心臓に持病のある息子も12歳で亡くなっているが、この事実を彼女は自身が殺害される9ヶ月前、神戸の実家に帰省した際に初めて知ったという。

1ヶ月後の4月25日21時頃、ラブホテル「コカパレス」203号室に30代から40代くらいのサラリーマン風の男と、濃いメイクをした20歳前後の女性がチェックイン。22時頃に、男性が料金を支払わずに1人でホテルを出たのを不審に思った従業員が部屋を訪れ、女性がパンティストッキングで絞殺されているのを発見し、警察に通報する。女性の所持品は十字架のイヤリングとピンクのサンダル、タバコとライターのみで身元は特定できなかったが、この現場からも覚醒剤の成分が検出されている。

1ヶ月半後の6月14日、第3の事件が起きる。同日

18時30分頃、「ホテル東丘」2階の「箱根の間」に10代後半の女性とサラリーマン風の男がチェックインした。ところが19時40分頃、フロントに男の声で「これから帰る」と電話が入る。前記2件の殺人もあって従業員が部屋を確認に訪れたところ、スーツ姿の若い男が慌てた様子で料金も支払わずにその場から立ち去った。不審に思った従業員が室内を確認したところ、女性が全裸の状態で倒れているのを発見。すぐに病院に搬送されたものの、20時55分頃に死亡が確認される。司法解剖により、死因はストッキングで首を絞められたことによる窒息死と判明、また体内から覚醒剤の成分が検出された。殺害されたのは埼玉県川口市に住んでいた17歳のNさん。彼女は高校を2年で退学し、アルバイトをしながら当時流行っていた「竹の子族」に参加、事件前年の１９８０年に二度の補導歴があり、事件直前には18歳の男性と同棲し、将来はタレントになるのを夢見ていたという。ちなみに、それから11日後の6月25日、当時30歳のホステスがゲームセンターで声をかけられた男と23時頃にラブホテルにチェックイン。うとうとしている際、突然男に首を絞められたものの激しく抵抗したため、男が女性の財布から現金5万円を奪い現場から逃走するという事件が起きている。

歌舞伎町のラブホテルで、わずか3ヶ月の間に起きた3件の殺人と1件の殺人未遂。いずれもゆきずりの犯行とあって捜査は難航した。警視庁は被害者全員が首を絞められている点や、第1から第3の事件で覚醒剤が使用された痕跡が残っていること（体から注射痕が見つかっておらず、口か鼻から飲用したものとみられる）、状況証拠などから被害者はいずれも街中で犯人に声をかけられてホテルについていった可能性が高いことなどから、事件は同一犯によるものと睨んでいたようだが、一方で、第2の事件では被害者の身元がわかるようなものを全て持ち去った形跡があるにもかかわらず第1と第3の事件ではそうした

事件を報じる新聞紙面

過去を捨てた女性無残
ナゾの「今がすべて」
身元不明で捜査難航

証拠隠滅の跡がないことや、第2、第3の事件で目撃された犯人が30〜40代の身長160〜165センチのサラリーマン風だった（第3の事件では、黒縁メガネで紺色の背広姿、大人しい雰囲気という証言があり）のに対し、第1、第4の事件が若い男だったと証言が食い違う点、さらには曜日や間隔に規則性がないこと、同じような場所で4件も大胆な犯行を働いていることとから、犯人は複数との見方もある（第4の事件で犯人に襲われた女性の詳細な証言は明らかになっていない）。

警視庁はその後も捜査を継続し、犯人を追い求めたが、結局解決の緒は見出せず、事件は1993年2月から6月に相次いで公訴時効が成立した。

新宿歌舞伎町ディスコナンパ殺傷事件

女子中学生2人をドライブに誘い千葉で犯行に及んだ大学生風の男

前項「新宿歌舞伎町ラブホテル連続殺人事件」が発生した翌年1982年、同じ歌舞伎町のディスコなどで遊んでいた女子中学生が大学生らしき男に殺害されるという事件が起きた。ラブホ連続殺人とともに歌舞伎町のイメージを著しく損ねた本事件も犯人は捕まっておらず、真相は闇に葬られたままだ。

1982年6月5日深夜、東京都港区立高松中学3年の落合雅美《おちあいまさみ》さん（当時14歳）と茨城県古河《こが》市立中学3年の女子生徒Kさん（同14歳）が新宿歌舞伎町で若い男に声をかけられたのが事件の発端である。2人はもともと古河市立中学の同級生で友人同士だったが、1981年12月に同居していた祖父が他界したことで雅美さんは実母が暮らす港区白金台に転居。離れ離れになったものの、その後も交流は続き、1982年5月からKさんが雅美さんの家に遊びに来ていたものの、30日に雅美さんが自宅を出たきり戻らなくなり、心配した母親が警察に失踪願を提出する。

その頃、2人は新宿歌舞伎町のディスコ「1＋1（ワンプラスワン）」で知り合った女性が住む足立区の家に泊まっており、そこから歌舞伎町に遊びに行く日々を送っていた。6月5日も夜から歌舞伎町のディスコや喫茶店などに立ち寄った後、ゲームセンターで20代前半の自称・大学生の男（身長170センチ

事件は大きく新聞で大きく取り上げられた

"ディスコの狼"少女殺傷

新宿—千葉、夜明けのドライブ

中三無残、首切られる

知り合ったばかりの男

友人も絞められる

程度、丸顔でパーマヘア、白地に赤い線の入ったシャツに紺色のズボン、サングラス）にナンパされ行動を共にするようになる。3人は翌6日の未明に新宿東口のマクドナルドでジュースを飲んだ後、午前4時半頃、路上に停めてあった品川ナンバーの乗用車（2000ccクラスの4ドア、車種不明、スポーツカー風、色は白かグレー）でドライブに出かけ千葉方面に向かう。

途中でKさんは眠ってしまい、朝方、物音がして目が覚めたところで雅美さんが車にいないことに気づく。場所は千葉市横戸町（現在の千葉市花見川《はなみがわ》区）。男に聞いても明確な返答はなく、散歩に行かないかとの男の誘いに乗り車外へと出る。しばらく歩いたところで男が予想もしない行動を起こす。いきなり後ろからKさんの頭を殴打し、悲鳴をあげる彼女の首を絞めてきたのだ。Kさんはそのまま失神、意識を取り戻してまもなく、花見川サイクリングロードの脇に血だらけになって倒れている雅美さんの遺体を発見。ショックで悲鳴をあげたところ、午前11時50分頃に付近を通りかかった人が駆けつけて通報したことで事件が発覚、Kさんは無事に保護されたが、雅美さんはすでに死亡しており、男の姿も車も現場から消えていた。

被害者の生徒が出入りしていた新宿歌舞伎町のディスコ「1+1（ワンプラスワン）」の入り口と店内の様子。本事件後、風俗営業法が改正され、深夜12時以降のディスコの営業が禁止されるようになった

殺人、および殺人未遂事件と断定した警視庁と千葉県警が千葉西署に合同捜査本部を設置、捜査を開始すると、6月9日に雅美さんが遺棄されていた付近から凶器と思われる黒いプラスチックの柄のついた刃渡り10・2センチの果物ナイフと空色のビニールホース1本が発見される。犯人はこのホースを用いて被害者2人の首を絞めたものと思われ、また、果物ナイフからは雅美さんと同じ血液型の血液が検出された。さらに、雅美さんの所持品の中から現金約2万円がなくなっていることが判明。犯人の男は彼女から金を奪おうとした

公開された犯人の似顔絵

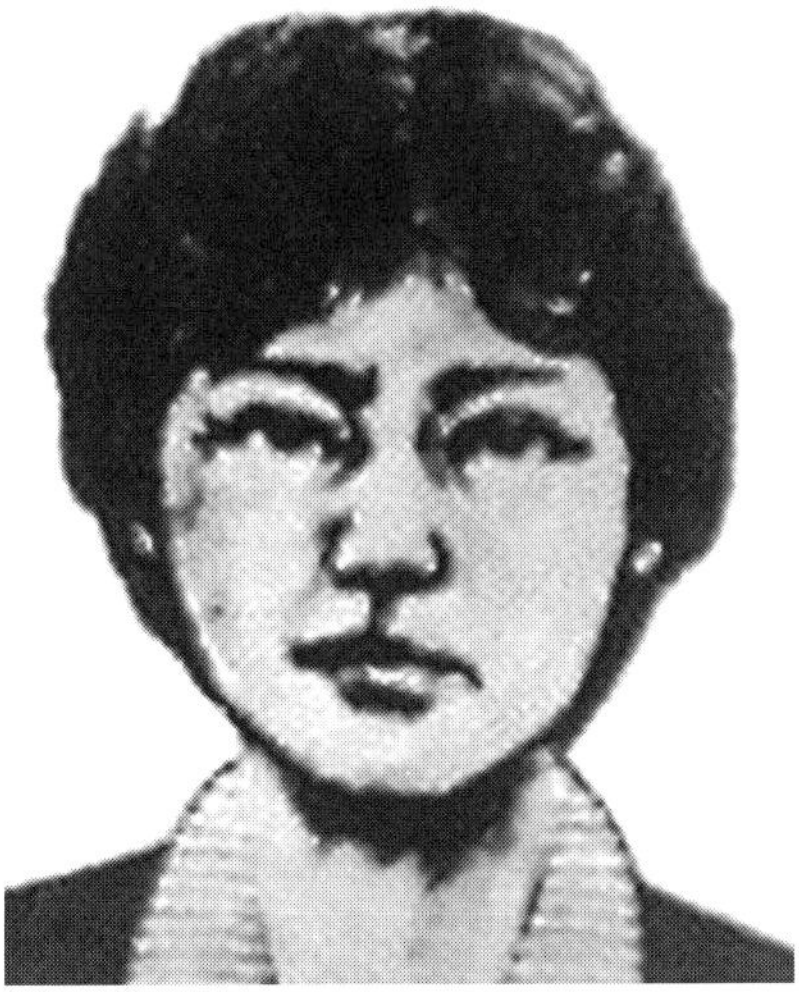

ところで抵抗に遭い殺人に至ったものとみられ、それを裏づけるように雅美さんの遺体が遺棄されていた現場には人が押し倒されたような跡ができていた。一方で雅美さんのアキレス腱が切断されていたことから、強盗を装った快楽殺人の線でも捜査が進められた。

警察は生き残ったKさんの証言をもとに犯人の似顔絵を作成し、犯人と被害者らが知り合った歌舞伎町にも多数の捜査員を派遣したものの有力な情報は得られず、また雅美さんが事件前のゴールデンウィークあたりから暴走族と付き合うようになっていたことや事件現場が暴走族のたまり場になっていた事実から、彼らと何らかのトラブルに巻き込まれた線も調べられたが、事件解決につながる情報は出ないまま時間だけが経過した。

いったい、犯人は誰なのか。ネットでは、政治家一族に生まれ自身も後に政治家となったある人物の名前が取り沙汰されている。なんでも、その政治家は学生時代は相当の遊び人で、公開された似顔絵と顔が酷似していると当時噂になったものの、警察へ圧力がかかり一切の取り調べから逃れたのだという。根も葉もない憶測かもしれないが、いずれにせよ事件は犯人不明のまま1997年6月6日に公訴時効を迎え迷宮入りした。

ダーディーン一家惨殺事件

22人を殺害したシリアルキラーが犯行を自供したが…

事件は1987年11月18日、米イリノイ州の小さな街アイナのトレーラーハウスに住む下水処理場の管理者キース・ダーディーン(当時29歳)宅で発覚した。17日から18日にかけて夜勤の予定だったキースが出勤していないことを不審に思った会社の上司が彼の家に電話をかけるも誰も出ない。上司はキースの両親に連絡し、18時半頃、父親と通報を受けた警察が彼の家を訪ねたところ、室内でキースの妻エレイン(同30歳)、息子ピーター(同3歳)の変わり果てた姿が見つかった。2人は手と口をカムテープで縛られ、顔や頭を何度も野球のバットで殴られ頭蓋骨を骨折、さらに、当時妊娠7ヶ月だったエレインは殴られた衝撃で出産しており、その新生児もまた撲殺されていた。

血痕が付いた凶器のバットはピーターの誕生日にキースが息子にプレゼントしたものだったが、そのキースの姿はどこにもなかった。自宅駐車場から一家所有の赤い車がなくなっていたことから、警察はキースが何らかの事情で家族を殺害、車で逃走したものとにらみ行方を追う。と、翌日19日に犯行現場から約16キロ離れたベントンという街の銀行の駐車場でキースの車が発見された。車内は血だらけで、ほどなく自宅から1・5キロほど離れた麦畑で狩りをしていた住民がキースの遺体を見つける。遺体は前頭部と顔の左右を3発撃たれ、陰茎が切り取られるという無惨なもので、検死によりエレインたちと数時間差で殺残忍極まる手口で殺害されたダーディーン一家。
左から妻エレイン、長男ピーター、夫キース

害されていたことが判明した。

イリノイ州警察は30人近くの職員を動員し捜査を開始したが、家に誰かが押し入ったような痕跡はなく貴金属類も盗まれていない。また、エレインが性的暴行を受けた痕跡もなかった。では、動機は怨恨か。犯人はエレインたちを殺害後、遺体をベッドに移動させブランケットをかぶせていた。そして証拠隠滅のためか掃除をした痕跡が見つかり、このことから犯人は犯行後すぐに立ち去らず、一定時間、現場にとどまっていたことがわかった。

その後、警察は１００人以上に取り調べを行うも犯人逮捕には至らず、一方、キースの母親もテレビ番組に自ら出演し情報提供を呼びかけたが、有力な手がかりが寄せられることはなかった。

事件発生から13年後の２０００年、警察は１９７８年～１９９９年にかけ少なくとも子供を含む22人を殺害、テキサス州で逮捕され死刑を宣告されたトミー・リン・セルズ（１９６４年生）がダーディーン一家の殺害を自供したことを発表した。警察によれば、セルズは事件の内容をあまり覚え

ていないとしながらも、犯行当日、ガソリンスタンドでキースと会い夕飯をご馳走すると提案され家についていくと性的なことを要求されたため腹を立て、遺体発見現場の麦畑までキースを車で運転させ車内で殺害。それでも怒りが収まらず、家に戻りエレインと子供を殺めたと供述したという。が、キースの親友や家族は彼に同性愛の傾向はなかったと断言。また、自宅周辺の治安が悪くなっていることを不安視し、キースが家に他人を入れることはなかったとも述べた。実際、以前に若い女性が電話を使わせてほしいと訪ねてきたときも断っていたことがわかった。

その後、セルズの自白の内容は何度も変わり、キースの家が売りに出ていたため見学を口実に屋内に押し入り一家を殺害したとも証言。他の事件でも虚偽の供述をしていたことから、ダーディーン一家の殺害の自白の信憑性は低いとみられる。ちなみに、イリノイ警察はセルズがアイナの街にどれだけ詳しいか調べるため身柄を移送させるよう提案したが、テキサス州の法律は死刑囚を州外に出すことを禁じているため実現しなかったそうだ。果たして、真犯人はセルズか、それとも別にいるのか。事件は現在も未解決である。

犯行を自供したトミー・リン・セルズ。2014年4月、薬物注射によって処刑された。享年49

和歌山市新聞配達女子高生刺殺事件

最後の目撃証言から30分以内で起きた早朝の犯行

和歌山県和歌山市園部《そのべ》地区。その名を聞けば思い出す人もいるだろう。１９９８年７月25日、夏祭りで提供されたカレーに毒物が混入され、それを食べた67人が急性ヒ素中毒になり、うち４人が死亡した毒入りカレー事件が起きた場所である（犯人とされた林《はやし》真須美《ますみ》被告に死刑が下ったが、２０２３年３月現在未執行。再審請求中）。だが、この閑静な住宅街を襲った残忍な事件はカレー事件ではない。事件が起きた場所のわずか半径５００メートルのエリアで１９９３年３月にタクシー運転手が殺害、１９９７年11月には娘が母親を絞殺、同年12月には弟が姉を撲殺する事件が起きている。しかし、事件は全て解決したわけではなく、ここで取り上げる新聞配達中の女子高生が殺害された事件の犯人は現在も逮捕されていない。

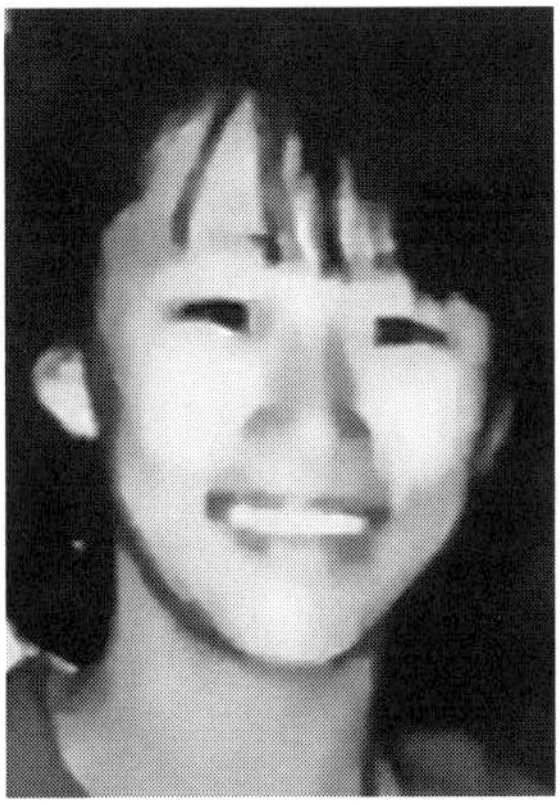

殺害された林史子さん

1988年6月22日午前5時、園部地区在住の高校1年生、林《はやし》史子《ふみこ》（当時15歳）さんが自宅から約200メートル離れた読売新聞の直売所に出向いた。彼女の両親は離婚しており、当時、史子さんは母親と姉の3人暮らし。家計を助けるため、高校に上がった同年4月から新聞配達のアルバイトに就いていた。

この日の午前5時11分、ジョギング中の男女が新聞を自転車に乗せ配達中の史子さんを目撃している。それから28分後の5時39分、彼女は路上で血を流し倒れている姿で見つかった。第一発見者は朝日新聞の配達員男性で、史子さんとはすれ違うたびに挨拶を交わす間柄だった。男性は当初、彼女が交通事故に遭ったと思い119番に通報したが、救急の調べで首や肩を刃物で切りつけられたことが判明。警察は殺人事件と断定し捜査を開始する。

史子さんの自転車の前カゴには未配達の朝刊31部とスポーツ新聞2部が収まっており、このことから、担当分を半分配り終えたところで事件に遭遇した可能性が高いことがわかっ

史子さんが倒れていた現場で状況を説明する第一発見者の新聞配達員。場所は本事件から10年後に起きた和歌山毒物カレー事件の現場からわずか250メートルの閑静な住宅街だった（当時のニュース映像より）

事件を報じる新聞紙面

た。また、最後の目撃証言から遺体発見まで争うような音や悲鳴を聞いた者がいないことなどから、背後からバイクか自転車に乗った犯人に突然ナイフなどの凶器で襲われたものと推定された。それを裏づけるように抵抗した際にできる防御創は確認されておらず、傷は全て背中側。特に右耳後ろの傷は頸動脈にまで達し、ほとんど即死同然だったと思われる。

また、第一発見者によれば、頭部から路上にできた血溜まりに右足だけの足跡が数ヶ所残っており、これは後の警察の調べにより、アシックスのジョギングシューズ「オークランド」でサイズは24～25センチ、和歌山県内で１９８７年11月から事件までに１千６８５足が販売され、そのうち６５７足の販売先まで突き止められたが、そこから性別、犯人特定にはたどり着けなかった。

事件は史子さんを付け狙ったストーカー的な犯行か、通り魔的なものか。警察や遺族はその後も犯人逮捕につながる手がかりを求め続けたものの有力な情報は得られず、２００３年６月22日、公訴時効成立。真相は完全に闇に葬られた。

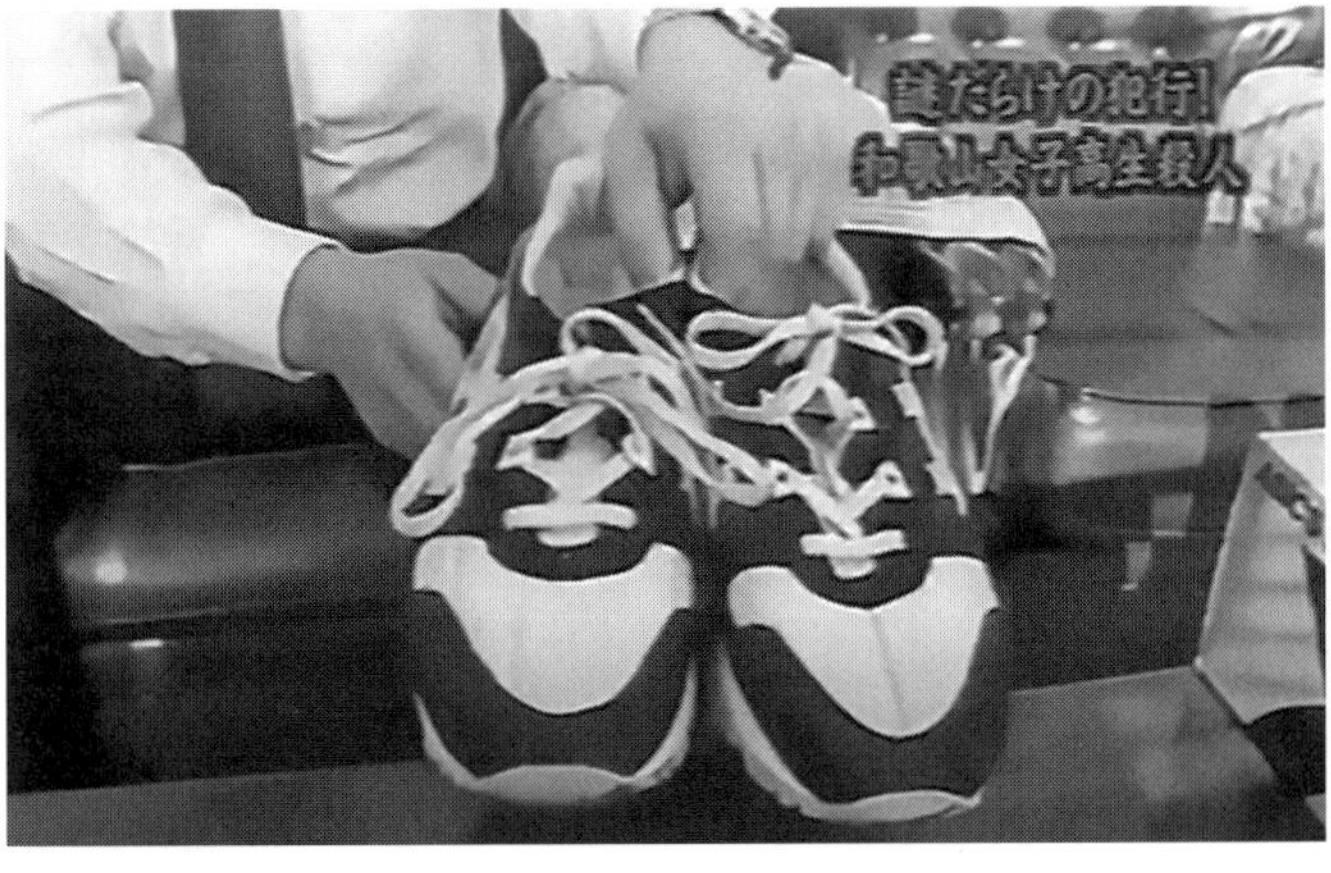

現場の血溜まりに残されていた足跡から特定された犯人着用の靴と同型のアシックスのジョギングシューズ「オークランド」（当時のニュース映像より）

江東区篠崎ポンプ所女性バラバラ身元不明殺人事件

14年後の2002年にも同じ場所でタクシー運転手の殺害遺体発見

1988年9月9日15時頃、東京都下水道局東部管理事務所維持課篠崎ポンプ所（江戸川区）の地下2階にある汚水を溜めておく水槽4号沈砂池で、ゴミ除け用鉄柵に人間の死体が引っかかっているのを職員が発見した。死体は裸で、上半身しかなく、腹部から刃物で切断されていた。身長160センチ、体重40キロ前後、年齢20〜40代の成人女性と推定され、死後1〜3週間が経過。腐乱しており、頭皮は剥がれ毛髪は全て抜け落ちていた。

警視庁捜査一課と小松川警察署は殺人事件と断定した捜査を開始し、この下水道に一般河川からの流入がないことから、犯人が女性を殺害後、切断して直径の大きなマンホール、道路脇の雨水用のU字溝、下水の工事現場などの開口部から下水道へ投げ込んだものと推定。またポンプ所では9月5日に、8月27日から溜まっていたゴミ2トンを処理していたため、それ以降に流れ込んだものと睨んだ。また、都内の女性の行方不明者リストと照合して身元の割り出しに当たると同時に、ポンプ所へ繋がる下水道を中心に未発見の下半身の捜索を実施。また、奥歯の治療痕を都内の歯科医院に照会した。

頭蓋骨から復元した警視庁作成の似顔絵。
年齢は19～21歳と見られている

司法解剖で、女性の背骨はノコギリ状の刃物で切断されていることがわかり、肋骨の下の肉を刃物で切られた後、第二腰椎の骨を切断されていたことが判明。生前の傷であることを示す生活反応はなく、切断は死後に行われたものだった。一方、当初は20～40代と目されていた遺体が頭蓋骨の縫合状況から、20歳代の可能性が高いことも明らかとなる。

12日17時40分頃、江東区青海《あおみ》二丁目地先中央防波堤内埋立地の都下水道局東部管理事務所のミキシングプラントのゴミ焼却設備管理棟のピット内で、廃棄物の入ったクレーンのバケットを開けた作業員が、廃棄物の中に切断された同一人物と思しき死体の右足を発見。右足は膝から下で切断されており、足の大きさは23・5センチだった。翌13日には同じ江東区のごみ焼却設備管理棟のミキシングプラントのピット内で左足も発見。10月29日までに、小松川署捜査本部から依頼を受けた東京歯科大学教授による歯形の鑑定で、女性の年齢は19歳から21歳であると判明する。

その後も、警察は頭蓋骨から復元した似顔絵を掲載したポスターを貼るなどして情報提供を呼びかけるとともに、東北から関西までの全府県警に出向き合計で万単位に及ぶ家出人捜索願を調査、また東京、千葉・埼玉の歯科医を訪ねて該当する患者の有無を徹底的に調べたものの該当者なし。また捜査本部に寄せられた160件近い情報にも有力なものはなかった。その後、女性の遺骨は火葬され練馬区の霊園で5年間保管されていたが、1993年頃に他の身元不明死体と共に合葬。現在も死体を遺棄した犯人や犯行の動機はおろか、被害者の女性の身元すら不明のままである。

この篠崎ポンプ所では、もう一つの未解決事件が起きている。2002年3月17日、「敷地内に防犯灯がついたタクシーが止まっている」という同所職員の通報を受け、小松川署の署員が駆けつけたところ、タクシーの後部のトランク内から死体が見つかった。死体は個人タクシー運転手の山口雄介さん（当時54歳）で胸や背中に約10ヶ所の刺し傷があり、売上金がなくなっていた。警察は強盗殺人事件とみて捜査を進めたが、事件から20年以上が過ぎた現在も犯人は検挙されないままである。

2つの未解決事件が発生した篠崎ポンプ所

トレーシー・ミード殺害事件

娘の死の悲しみの果てに父親は自殺、弟は刺殺死

1992年1月20日、英ロンドン・パディントンの高層アパートに母親のキム・ミードと住む少女トレーシー・ミード（当時14歳）は、ロンドン西部ノース・ケンジントンの祖母宅で1日を過ごした後、母親が離婚して以降、父ポール・ペトルーと再婚相手のデニスと一緒に暮らしていた妹エマ・ペルトー（同11歳）を自宅アパートに連れていった。叔母に会うため1人で家を出たのが19時頃。このときトレーシーはバス代として2ポンドを母親からもらっていたが、叔母の家に現れることはなく、そのまま行方不明となる。

2日後の22日、母親キムがトレーシーの失踪届を提出するも、警察はまともに取り合ってくれず、自ら娘の行方を捜索する。結果、トレーシーが失踪当日の夜、自宅に近いハローロードのハペニーステップ橋で金髪の少年と口論していたという目撃情報を取得。31日には、トレーシーによく似た女性が通行人にカフェへの道順を尋ね「ボーイフレンドに会うつもりだ」と言っていたこと、同日午後4時30分頃に彼女と黒髪の女性の2人がゴールドホーク・ロードにあるカフェに入ったのを目撃されていたことがわかった。母キムはトレーシーがなぜそんな不可解な行動をとったのか、まるで理解できなかった。姿を消すような

被害者のトレーシー・ミードと、彼女の遺体が見つかったグランド・ユニオン運河

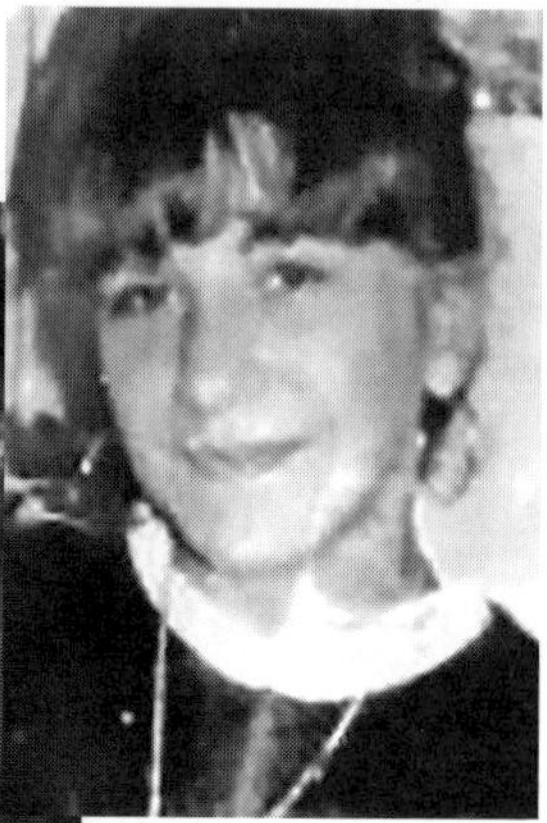

特別な事情があったのだろうか。

その不安は、翌日2月1日、最悪の形で的中する。ロンドン北西部ケンサル・グリーン近くを流れるグランド・ユニオン運河の凍てつく水の中から半裸姿のトレーシーの遺体が発見されたのだ。死因は溺死だった。が、腕と腹の2ヶ所をナイフで刺されており、警察は殺人事件として捜査を開始。当局の見立ては、脅迫されて服を脱いだ後で刺されて運河に突き落とされたか、刺された後に逃げようとして自ら運河に入ったかの2つだった。疑惑の目は、失踪の夜にトレーシーと言い争っていた少年に向けられた。しかし、彼は捜査で事件には関与していないことが判明。その後も聞き込みやトレーシーの知人などの取り調べが徹底的に行われたものの、犯人逮捕に繋がる手がかりは得られず仕舞いだった。

事件から31年。2023年3月現在も容疑者は特定されていない。その間、トレーシーの周囲には悲劇が次々

自殺した父ポール（左）と、麻薬依存の果てに肺がんで死亡した妻のデニス

トレーシーの弟で2020年に刺殺されたピーター（左）と、妹のエマ

と襲いかかった。娘を亡くした悲しみで麻薬に溺れた父親のポールが45歳で自殺、妻デニスも夫と一緒に麻薬を使用し最後には肺がんを患い50歳で死亡した。また、トレーシーの母親キムも２０１５年に亡くなり、さらに２０２０年７月には弟であるピーターが37歳で刺殺された。

トレーシーの妹エマによれば、事件以降、父親は人が変わったようにふさぎ込み、時に暴力を振るうこともあったという。また、エマ本人も姉トレーシーの死が忘れられかけている一方で、弟ピーターを殺した犯人が捕まったことにやりきれない思いを抱き続けているという。一つの殺人がもたらした負の連鎖。果たして事件の真相が解明される日は来るのだろうか。

JR池袋駅山手線ホーム上 立教大生殺人事件

被害者の父親が独自で犯人を追及し、北千住で外見がそっくりな男と遭遇

1996年4月11日、当時、就活生だった立教大学4年生、小林悟《こばやしさとる》さんは「大学主催の就職セミナー」に友人2人と参加後、その友人たちとJR池袋駅付近の居酒屋とカラオケ店でアルコールを飲み、23時過ぎに池袋駅で別れた。自宅の春日部市に帰るため、JR山手線外回り8番ホームへ向かう階段を上がったのが23時30分頃。その途中で悟さんはスーツ姿の会社員風の男と口論となる。トラブルの原因は「男性と肩がぶつかった」か「駅構内で喫煙していた男性を悟さんが注意した」ためだという。

悟さんはいったん山手線ホームまで上がったが、男に執拗につきまとわれ、逃れるために再び階段を降りようとしたところを捕まり、胸倉を掴み合っての喧嘩に発展。背後から「喧嘩は止めろ」との声があり、悟さんが顔をそらした瞬間に男に顔面を殴打され転倒、不幸にもホーム床の点字ブロックの突起に後

被害者の小林悟さん（死亡時21歳）

事件現場のJR池袋駅の山手線外回り7・8番線ホーム

頭部を打ちつけ意識不明の重体となってしまう。

　現場が騒然とするなか、男はちょうど8番線に入線してきた23時37分発の「上野方面行き山手線」に飛び乗る。このとき、ホームの客が男を咎めたものの、男は「うるせー、ぶっ殺すぞ」と声を荒らげ、そのまま逃走。一方、悟さんは池袋駅近くの病院へ緊急搬送され、一時は駆けつけた両親に「前頭部を骨折、後頭部から出血が見られるが命に別状はない」との説明がなされたが、午前4時30分頃に容体が急変、別の病院へ移送され緊急手術を受けたものの、５日後の4月16日に息を引き取った。

　傷害致死事件として捜査を開始した警察は目撃情報から、逃走した男の情報（20〜30代、身長１７０〜１８０センチ、二重あご、グレーの背広でがっちりした体格、右目じりに穴状の古傷が３ヶ所あり）と似顔絵を記したポスターとチラシを作成。広く情報を求めるとともに、捜査員を動員し犯人逮捕に努める。同時に最愛の息子を亡くした悟さんの父、邦三郎《くにさぶろう》さんはチラシを配るなどしながら、犯人が乗った電車の上野方面一帯を独自で捜索。すると、事件から１ヶ月後の１９９６年５月、予想もしない展開に遭遇する。ＪＲ常磐線・北千住駅周辺の路上を歩いていた際、偶然にも似顔絵にそっくりな男とすれ違ったのだ。男は駅前のパチンコ屋に入り、その隣に邦三郎さんが着席。顔を観察したところ、右目尻に古傷が確認できた。犯人に間違いないと確信した邦三郎さんは22時頃に店を出た男を尾行。男は常磐線の改札口に入ったが、電車に乗る前に公衆電話で「バカヤロー！知るかよ！」と怒鳴っていたという。その後、男と邦三郎さんは快速に乗り千葉県の柏駅で下車。男はデパート「そごう」寄りの改札口から外に出て売店で買ったビールを飲み、再び定期券で改札口に入り、我孫子方面のホームへ。そこに電車の乗客が大勢降りてきたため男を見失ってしまう。しかし、男が定期券を利用していたことから、住まいが柏から我孫子間にあるものと推定した邦三郎さんは、会社に休みを申請し、その後1週間にわたって一帯を張り込む。果たして、

事件当時、公開された犯人の似顔絵と特徴。
下は後に遺族が警視庁に提供したイメージ画像

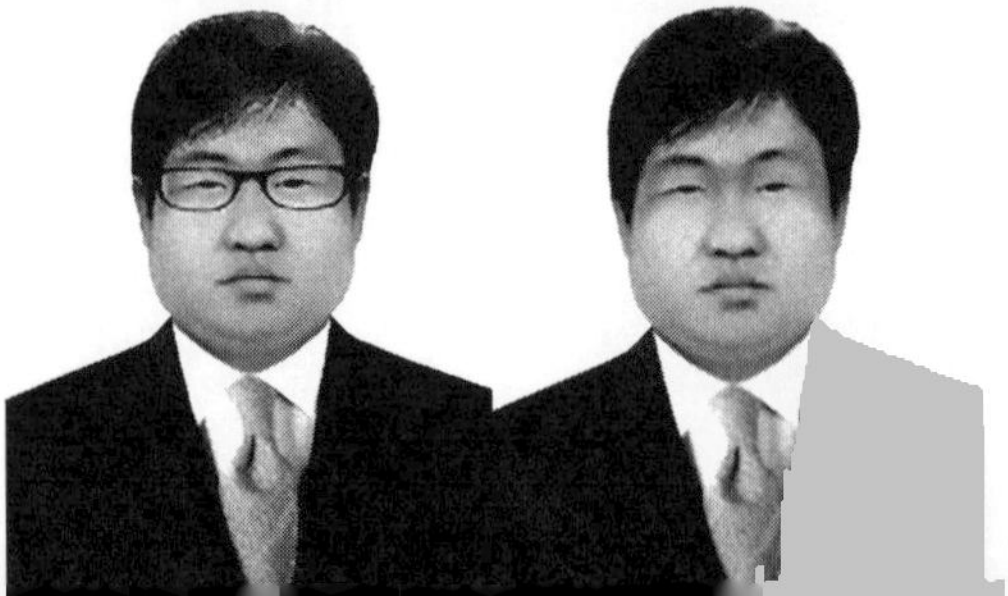

事件の情報提供を自ら呼びかける被害者の父、邦三郎さん(2011年)

男は二度と現れることはなかった。そこで、邦三郎さんは男を目撃した北千住駅と柏駅構内に設置されていた防犯カメラの映像を入手する。しかし、そこに映っていたのは尾行した翌日の映像。取り寄せるタイミングが一歩遅れ、テープにはすでに翌日の映像が重ね撮りされていた。

以降、捜査の進展はストップし、有益な情報も集まらないまま時間だけが経過していく。当時、傷害致死の時効は7年。本来なら2003年4月に成立するはずだった。だが、このまま犯人が罪から逃れられることを許せなかった邦三郎さんは2002年7月に約3万5千人分の署名と公訴時効延長を求める嘆願書を法務省に提出。その結果、傷害致死罪の公訴時効成立直前の2003年3月に容疑が殺人罪(当時の時効は15年)に切り替えられ、捜査が継続されることになった。さらに2010年4月には殺人罪の公訴時効を撤廃する法案が成立。犯人は永久的に警察に追われる立場となったが、2006年に他の犯罪被害者遺族に呼びかけ「犯罪被害者家族の会ポエナ」を設立、会長を務めていた邦三郎さんは、その理念である「法の不遡及」(新しく定めた法令をすでに終わった事柄にさかのぼって適用してはいけないという考え)に反する可能性があるとして、2012年に警察庁を訪れ「他の未解決事件に力を割いてほしい」と捜査の打ち切りを要望。これを受け、警視庁は2020年12月、容疑者不詳のまま殺人の疑いで書類送検し、事実上、事件は迷宮入りとなった。

広島市佐伯区スーパー強盗殺人事件

数多くの遺留品が発見されるも、犯人逮捕には至らず

2000年9月3日21時過ぎ、広島市佐伯区のスーパーマーケット「マルショク五日市店」の商品搬入通路で、同点主任の新谷進《しんたにすすむ》さん（当時36歳）が顔などから血を流して仰向けに倒れているのを警備員が発見。すぐさま通報を受けた広島西署員が駆けつけたときにはすでに心肺停止状態で、その後、死亡が確認された。広島大学医学部の司法解剖の結果、死因は失血死で、致命傷となった首以外にも顔や胸、腹などに十数ヶ所の刺し傷があること、また、左手には新谷さんが抵抗した際にできたと思われる深い傷も確認され、犯人ともみ合いになったと推定された。

事務所内にあった週末の売上金約300万円が入っていた金庫や新谷さんの5万円入の財布は荒らされていなかった。その一方、隣接する食肉店テナント内にあった現金数千円と預金通帳が入っていた手提げ金庫、新谷さんが腰からぶら下げていたとされる店舗内のレジ・金庫の鍵の束、新谷さんの携帯電話、運転免許証、車の鍵などが奪われていたことから、広島県警は西署に捜査本部を設置、強盗殺人事件として捜査を開始する。

事件当日、同スーパーは20時30分に営業を終了。21時まで働いていたパート従業員の証言によれば、その後、新谷さんが1人で店を閉め事務作業を行っていたという。しかし、通常なら22時までに作業を終え

情報提供を求める広島県警作成のポスター

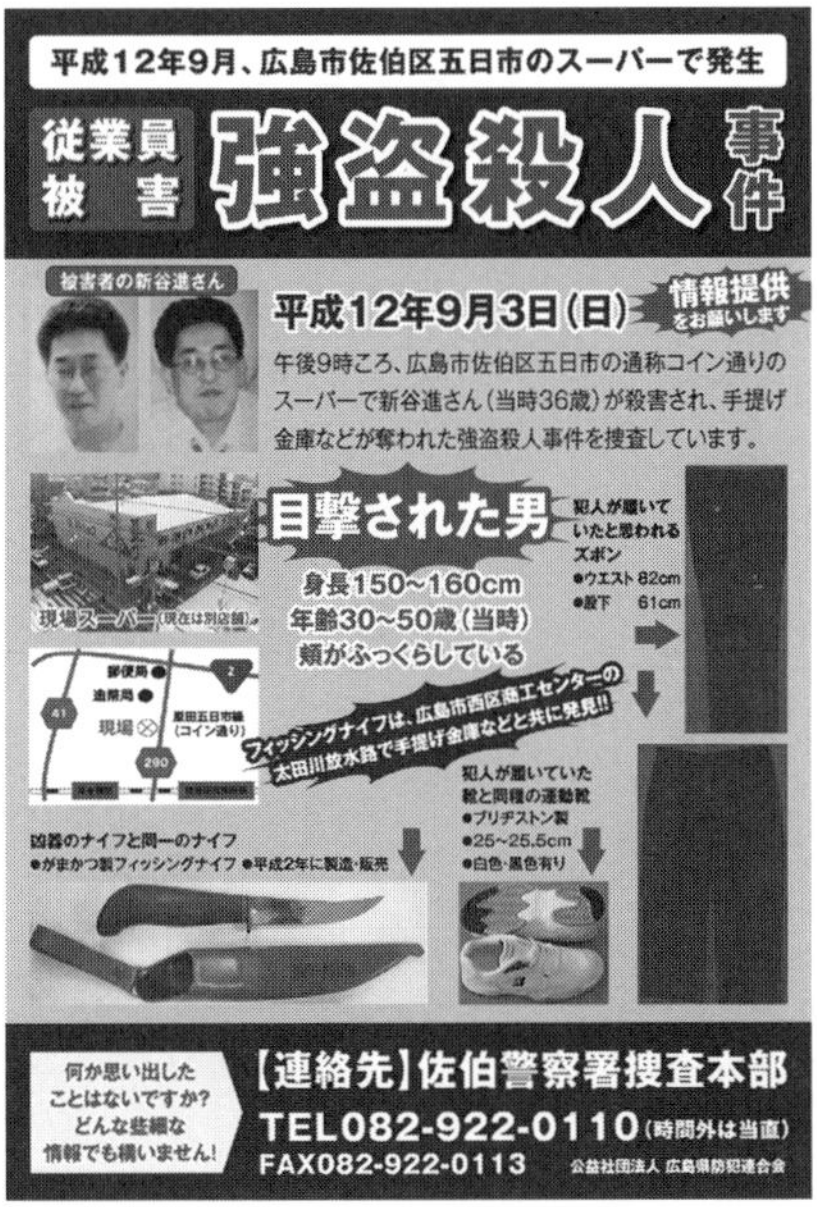

退社時にセットするはずの警備装置がセットされていなかったことから警備員が不審に思い見回りに来たところで新谷さんの遺体が発見された。現場には犯人のものと思われるフランス製のべっ甲模様のサングラスが残されていた代わりに被害者のメガネがなくなっており、犯人がもみあいの際に間違って持ち去った可能性が高いと考えられた。

その後の調べから、複数の近隣住民が同日21時過ぎに「警察に電話してくれ」という男性の叫び声を聞いていたことが判明。犯人は前出のパート従業員がスーパーから出ていくのを確認してから商品搬入口で新谷さんを刺殺、店舗に侵入し手提げ金庫を奪った後、スーパー裏手の民家の塀（血痕が付着していた）を乗り越え路地伝いに約50メートル離れた月極駐車場に向かったものと考えられた。道路には靴底に付着したと思しき血痕が点々と残っており、それが駐車場で途絶えたため、ここで車両に乗り込み逃走を図った可能性が高い。

現場では犯人と思われる男が目撃されており、似顔絵が公開されている。年齢は30～50歳。身長１５０～１６０センチと小柄で頬がふっくらとした小太り。手袋のようなものをしていたらしい。また、血痕の途絶えた駐車場には複数のタバコの吸い殻が落ちていたことから、男は犯行前の1、2時間ほど前からここで待機していたものと思われる。

その後、現場からおよそ5キロ離れた太田川放水路付近に手提げ金庫と凶器と思しき血のついたナイフ、切り刻まれた新谷さんの免許証、犯人が返り血を浴びて脱ぎ捨てたであろうズボンが発見された。凶器のナイフは釣具メーカー「がまかつ」が1990年に出荷したフィッシングナイフ「GM－202」の初回版で、販売価格は3千～5千円。店舗販売より通販や取り寄せで多く購入されるようなマニアックな商品だったという。また、犯人の衣服についても詳細が一部わかっており、ズボンは広島県府中市内の被服会社製の「ベトナムズボン」でウエスト82センチ、股下は61センチに裾上げされていた。さらに現場に残されていた足跡から犯人の履いていた靴はブリヂストン195、サイズが25～25・5センチと判明している。このように遺留品は少なくなかったが、はっきりとした目撃証言、物証までは確認できておらず、広島県警はこれまで計7万人の捜査員を動員、約170件の情報提供を受けたものの、2023年3月現在も犯人逮捕には至っていない。

犯人（右）の似顔絵も公開されている

江東区北砂7丁目
質店経営者夫婦強盗殺人事件

動機は物盗りか怨恨か。現場に手つかずのまま残されていた100万円の謎

2002年12月8日深夜から首都圏で降り始めた雪は9日の夕方には小降りになったものの、電車が運休して一部の学校が休校するなど、交通機関は終日混乱し、12月としては都内では記録的な大雪となった。その大雪が残る12月10日午前10時25分頃、東京都江東区北砂《きたすな》7丁目で質店「藤井商店」を営み、店舗兼住宅に住んでいた藤《ふじ》井《い》義正《よしまさ》さん（当時78歳）と妻のえつ子さん（同74歳）が珍しく起きてこないことを不審に思った同じ敷地内の別宅に住む夫婦の長男の嫁が合鍵で屋内に侵入したところ、寝室で2人が頭から血を流し死亡しているのを発見した。

現場は東京メトロ東西線南砂《みなみすな》町駅から北に約1キロ離れた閑静な住

殺害された藤井義正さん（左）と妻のえつ子さん

宅街。藤井さん夫婦は事件の40年ほど前から質屋を経営するとともに駐車場やアパートも所有、資産家として知られる一方、義正さんは以前は町内会の会長を務めるなど人望の厚い人物だったという。

110番通報を受け駆けつけた警察は、1階の寝室のベッドの下に義正さんが、えつ子さんがベッドの上で布団をかけた状態で死亡しており、その傍に床の間に飾ってあった象牙（重さ5キロ以上、長さ70～80センチ、直径約8センチ）が血のついた状態で落ちているのを確認。2人ともパジャマ姿だったことから寝込みを襲われたものと推定された。また、風呂場の窓ガラスが「突き破り」という手口で割られていたことが判明したが、もう一つ鍵がかかっていたため失敗したとみられ、最終的に「戸外し」という手口で窓枠を外し土足で侵入していたことから、盗みのプロによる犯行の可能性が高いと推定された。実際、室内は荒らされており、金庫を開けようとして失敗している形跡もあった（犯人が手袋をしていた可能性が高く指紋は検出されていない）。しかし、不可解なのは寝室にあった現金100万円の札束が手つかずのまま残っていたことだ。これが室内のどこに置かれていたのかは明らかになっていないものの、金目当ての犯行なら現金が盗まれていないのはいかにも不自然である。

犯行現場となった被害者宅

犯人逮捕、または事件解決に繋がる最も有力な情報提供
に対し300万円の懸賞金は支払われることになっている

情報をお寄せください！
北砂七丁目質店経営者夫婦強盗殺人事件
平成14年12月10日発覚
見覚えはありませんか!?
事件発覚の前日、
12月8日から9日にかけて
12月としては記録的な大雪が降りました
北砂七丁目質店経営者夫婦強盗殺人事件の捜査に協力する会
懸賞金 300万円
●情報受付部署●
北砂七丁目質店経営者夫婦強盗殺人事件特別捜査本部
●警視庁城東警察署 03-3699-0110（内線3332）
●警視庁ホームページアドレス http://www.keishicho.metro.tokyo.jp/

その後の調べで、被害者夫婦は事件前日の9日の21時前、藤井さん宅の近くで行われていた町の会合に参加し2人揃って帰る姿が目撃されていたこと、事件当日の午前10時頃に信用金庫の職員が訪ねているが応答がなかったことが判明。また事件の数日前、何者かによって藤井さん宅の裏門が開けられるという被害があったこともわかった。裏門は防犯のためしっかり施錠していたが、それが破られ敷地内に侵入された形跡があったものの盗難などの被害はなかったため、警察への届出はなされなかった。

こうしたことから本事件は強盗殺人として捜査が進められたが、前記のように100万円が手つかずの状態で残っていたことにより、普段から藤井さん夫婦に恨みを持つ顔見知りによる怨恨が目的だった疑いも浮上。その一方で、凶器が室内に置かれていた象牙だったため、犯人があらかじめ凶器を持たずに屋内に侵入した可能性もあり、それが事実なら怨恨ではなくやはり物盗りの線も否定できない。

果たして藤井さん夫婦を殺害したのは誰か。何が犯行の動機だったのか。遺族は300万円の私的懸賞金を設け、現在も事件解決に繋がる有力な情報を求めている。

大和市高齢者男性殺人事件

遺体の傍に「ざまあみろ」と殴り書きされたメモが

２００3年3月2日15時10分頃、神奈川県大和《やまと》市中央5丁目の「恒陽大和マンション」に住む木幡重男《こはたしげお》さん（当時71歳）の弟夫婦が、兄と１週間ほど連絡が取れないことを不審に思いマンションを訪ね、合鍵で部屋に入ったところ、フローリングの居間にパジャマ姿で血を流し、うつぶせに倒れ、頭から布団をかけられている木幡さんを発見した。驚いた弟夫婦はすぐに１１０番通報、駆けつけた警察により木幡さんの死亡が確認され、現場の状況から殺人事件と断定した神奈川県警は捜査本部を立ち上げる。

司法解剖の結果、遺体は約１週間が経過していることが判明し、頭部には鈍器のようなもので数回殴られた痕跡が見つかったが、室内から凶器は発見されなかった。また木幡さんの遺体の傍に犯人が殴り書きしたと思しき「ざまあみろ」と記されたメモが見つかったことから、身内も含め関係者に筆跡鑑定が行われたが一致する人物はいなかった。

現場の状況から警察は木幡さんに何らかの恨みを持つ者の犯行とみて徹底的に交友関係を調べるとともに、マンションに設置された4つの防犯カメラを解析した。結果、遺体発見1週間前の2月24日午前9時頃、ゴミ捨てに向かう木幡さんの姿が映っていたことが判明。さらに木幡さんのポストに2月25日以降の新聞が溜まっていたことから、犯行時刻は24日夜から25日未明の間と推定された。

殺害された木幡さん。身長155センチ、体重46キロ、白髪（普段は野球帽をかぶって外出）、左足が若干不自由だった

さらに防犯カメラの解析を進めたところ、映っていた236人の中に1人だけ身元不明の中年男性がいたことが明らかとなる。この男をカメラが捉えたのは2月17日、23日、24日、25日にわたって計4回。いずれもマンションの裏口から入って行く様子とされているが、出ていく姿も映っていたのかどうかは公表されていない。警察はこの男が事件に関与している疑いが強いとみて身元の特定を進めたが、木幡さんの交友関係からは該当するような人物は見つからなかった。

本事件は現場に残されたメモから怨恨が動機とみられているものの、木幡さんは近所付き合いもほとんどなく、人から恨みを買うようなタイプでもなかった。また、事件から20年が経過した現在も防犯カメラに映った不審な男の画像や特徴、遺留品であるメモなどは一切公表されておらず、時だけが経過していった。

実は、事件が起きた大和市は当時、神奈川

県内で最も治安悪化が懸念されていた地域で、同エリアを管轄する大和警察署には時に新宿や渋谷、池袋警察署などより110番通報が多かったこともあるという。このことから木幡さんは面識のない強盗常習犯によって狙われ抵抗したために殺害され、メモも木幡さんに向けたものではなく犯行声明の類との見方も浮上している。ただ、現場には金銭を物色したような痕跡はなく（本人の財布がそのまま残っていた）、木幡さんの銀行口座から現金が引き出された事実もないため、やはり怨恨の可能性が高いと言われている。

果たして、木幡さんは誰に何の目的で殺害されたのか。一部には第一発見者の弟夫婦に恨みを持つ者の犯行で、そのために木幡さんの交友関係から不審な人物が浮上しなかったとの憶測も流れている。また、何度もマンションを訪れていたのは犯行を実行するための下見が目的だったとの意見もある。いずれにしろ警察は本事件の詳細を公表しておらず、2023年3月現在も犯人逮捕には至っていない。

小田急線大和駅から西に徒歩10分の場所に建つ犯行現場となったマンション

米ニューメキシコ州ウエスト・メサ「ボーンコレクター」事件

売春婦、麻薬依存者の女性11人の遺体を埋葬した殺人鬼

２００９年2月2日、米ニューメキシコ州アルバカーキのウエスト・メサの砂漠で犬を散歩させていた女性が人骨らしきものを発見し、警察に通報した。現場に駆けつけた捜査員の調べで、付近に大きな穴が掘られており、その中に11人の女性の死体が遺棄されていたことが判明。骨になった被害者は15歳から32歳で大半がヒスパニック系。後の捜査で彼女らの身元は２００１年から２００５年にかけて行方不明となった売春婦、もしくは薬物依存者だったことが判明する。警察は、死体が全て同一人物の連続殺人犯によって埋葬されたものとして捜査を開始、メディアは犯人に〝ボーンコレクター〟の異名をつけ、大々的に報道する。

警察は最大10万ドルの報奨金を付け有力な情報を求めるとともに懸命な捜査を行ったが、犯人逮捕には

至らなかった。ただ、これまで捜査線上には数々の容疑者が浮上している。

1人は遺体の埋葬地から5キロも離れていない場所に住んでいたロレンツォ・モントーヤ（生年不明）。彼は買春を日常的に行っていた人物で、1999年には娼婦の首を絞めた暴行容疑で逮捕。その後も継続的に売春婦に暴行を働き続け、2006年12月には売春婦の1人を自宅に呼び殺害したとされる。しかし、逮捕寸前に彼が暴行を働いていた別の売春婦のボーイフレンドにより射殺され死亡。事件が発覚するのはその3年後だが、彼の殺害以降、関連する殺人が止まったことから、今もモントーヤをボーンコレクターとする見方が根強い。

2人目は2003年〜2004年にかけてコラロド州で少なくとも4人の男女を殺害したスコット・リー・キンボール（1966年生）である。

13 YEARS LATER
REMAINS OF 11 WOMEN DISCOVERED ON WEST MESA
KOB4

ウエスト・メサで見つかった遺体埋葬地と、被害者の女性たち

容疑者として浮上した3人。
左からロレンツォ・モントーヤ、スコット・リー・キンボール、ジョセフ・ブレア

キンボールは2006年3月に逮捕、懲役70年の刑を受けたが、他にも21件の未解決殺人との関与を疑われ2010年にウエスト・メサの事件についてもFBIの取り調べを受けた。しかし、キンボールは頑に事件との関連を否定。現在も刑務所に収監中である。

3人目は1980年代、主にアルバカーキ地域の女子中学生を対象にレイプを繰り返していたジョセフ・ブレア（1957年生）だ。ウエスト・メサで遺骨が発見された1週間後、彼の妻は夫が怪しいとして自ら通報。警察はブレアの過去の犯罪歴と、彼が1990年から2009年にかけて130回以上、ニューメキシコ州で売春婦を買っていたことを突き止め徹底的な取り調べを行ったが、最終的に事件に繋がる物的証拠を見つけることはできなかった。しかし、ブレアは2015年6月、ウエスト・メサで発見された売春婦とは別の売春婦を殺害した容疑で36年の懲役刑を受け服役。ウエスト・メサの事件への関与は一貫して否定し続けている。

他にも、犠牲者の1人と知り合いだったとされる売春斡旋業者、被害女性を含む数万枚の売春婦の画像を所有していたアルバカーキ在住の写真家の男性など多くの容疑者が浮上したものの、事件は今なお未解決。真のボーンコレクターは誰だったのだろうか。

新潟市タクシー運転手強盗殺人事件

「最後の客」の映像が公開されるも未だ犯人逮捕には至らず

2009年11月2日午前1時30分頃、新潟市東区空港西1の路上に停まっていたタクシーの運転席で「三洋タクシー」（新潟市東区）運転手の阿部次男《あべつぎお》さん（当時63歳）が血まみれで倒れているのを同僚が発見し110番通報した。阿部さんはすでに死亡しており、首に刺し傷があることから、新潟県警は殺人事件と断定、新潟東署に捜査本部を設置した。

調べによると、発見された際、阿部さんはあおむけで運転席シートにもたれかかるような状態で倒れており、タクシーの売上金などの入ったセカンドバッグや私用の財布がなくなっていたという。また、司法解剖の結果、死因は首の左側を刺されたことによる出血性ショック死で、死亡推定時刻は発見される2時間半前の1日23時頃と判明。同時刻、阿部さんのタクシーが新潟駅から現場方面に向かって走り、23時半頃には現場付近の住民がハザードランプをつけたまま停車しているのを目撃していたこともわかった。阿部さんの勤務時間は午前7時～23時。当日は23時頃に客を空港西へ乗せていっており、この「最後の客」が事件に関与している可能性が高いとみられた。

その後、阿部さんのタクシーは発見時にエンジンがかかっていた一方、料金メーターが約2千円の表示で止まっていたことがわかった。また、阿部さんの傷が頭、体の後部や左側に複数あったことから、犯人

事件を報じるニュース映像

新潟市東区
2009年11月
2009年11月
タクシー運転手の阿部 次男さん(当時63)が
勤務中に殺害され売上金などを奪われる

が現場付近で料金支払いを装って停車を求め、スピードを緩めた阿部さんを後部座席から襲ったものと推定された。

阿部さんのタクシーは高さ約20センチの歩道に、左前輪を乗り上げた状態で見つかっている。同僚によると、料金メーターが1日23時頃から約1時間支払い状態だったため、不審に思った別の同僚が会社のGPSで位置を確認した上で探し発見したという。タクシーの左側には高さ約60センチの植え込みがあり、客を降ろすための停車ではなかったそうだ。また、阿部さんのタクシーには運転席と後部座席を隔てる仕切り板や防犯カメラが付けられていなかった。三洋タクシーによれば、2002年の日韓サッカーワールドカップに備えて全車に仕切り板を設置したが、料金受け取りや会話の際に邪魔になるため外してしまう運転手が少なくなかったという。

警察は強盗殺人事件として捜査を続けるとともに、防犯カメラで撮影された、容疑者と思われる「最後」の客の映像をユーチューブで公開するなどして情報提供を呼びかけた。特徴は10

代後半から20代前半くらいの男性、身長１６５センチメートル前後の痩せ型、黒っぽい上着に白色の2本線が入った黒っぽいジャージーズボン、サンダル履き、所持品としては黒色の手提げバック、ビニール傘が挙げられている。２０１１年7月、警察庁は当事件を捜査特別報奨金対象事件に指定。犯人逮捕に繋がる情報に３００万円の懸賞金を設けたものの、２０２３年3月現在も犯人逮捕には至っていない。

公開された犯人と思しき男の映像。犯人逮捕に繋がる情報には300万円の懸賞金がかけられている

富山市会社役員夫婦放火殺人事件

被害者と面識のあった現職警察官が逮捕されたが嫌疑不十分で不起訴に

２０１０年４月20日午後12時半頃、富山県富山市大泉の３階建てビルの２階部分から火の手が上がり、現場からビルのオーナーで住人の福《ふく》田《だ》三郎《さぶろう》さん（当時79歳）と、妻の信子《のぶこ》さん（同74歳）の死体が発見された。司法解剖の結果、２人の死因は焼死ではなく首を絞められたことによる窒息死であることが判明、富山県警は何者かが夫妻を絞殺し火を放った殺人事件と断定し捜査を開始するも、有力な情報は得られず２ヶ月が経過する。

同年６月、『週刊文春』編集部にＣＤ－Ｒと１枚の紙切れが入った差出人不明の荷物が届く。編集部がＣＤ－Ｒを確認したところ、中身はなんと当事件の犯人と思しき人物からのメッセージだった。

「あの事件の犯人は私です。それを証明するために殺害現場の見取り

容疑者として逮捕された
富山県警の警部補K

図を同封します。殺害に至ったいきさつについて手記を書きたい。生活に困窮しており、この手記を御社に買い取ってほしい。これと同じものを週刊現代と週刊ポストにも送っている」

編集部はすぐにこの声明文の真偽を確認すべく、富山県警に事実の照合を依頼。その結果、現場の見取り図の内容が「家具と遺体の配置など現場にいた犯人しか知りえない」秘密の暴露に当たることが明らかとなる（その後、差出人からの連絡はなし）。警察はすぐに文春編集部には全ての送付物の提出を求めたが、文春側は〝情報提供者の秘匿〟を理由にこれを拒否。最終的に警察が裁判所に令状を請求しCD-Rを入手するのは、事件から2年2ヶ月が過ぎた2012年6月のことだった。

CD-R解析の結果、データ製作者である「K」の名前がローマ字で記録されていることが判明した。Kはなんと富山県警に勤務する現職の警察官だった。同年12月22日、警察は事情を聞くため、殺人・放火・死体損壊の容疑でK（同54歳）を逮捕。Kは過去に罪を犯しており、2008年7月に親族宅で現金の入った財布や金庫を破壊し現金と金塊を窃盗（被害者家族が告訴しなかったため不起訴）、高岡署の留置管理係長だった2012年10月と11月に捜査情報を外部に漏らした地方公務員法違反容疑で逮捕されて

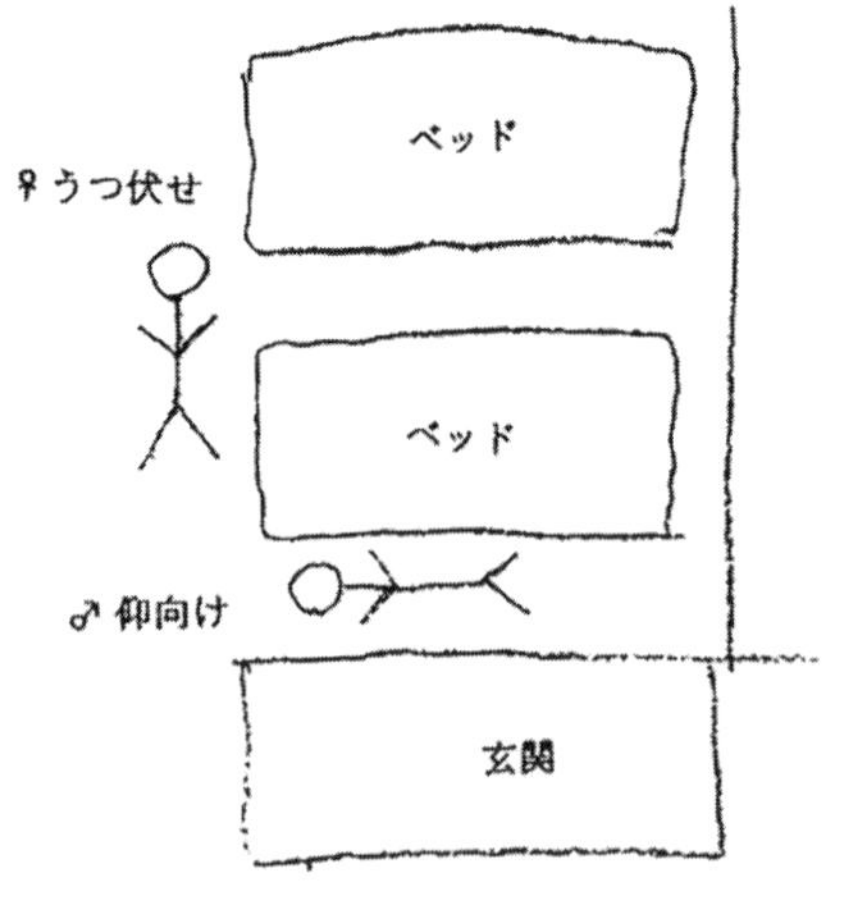

『週刊文春』編集部に送付された事件現場の見取り図

いた（不起訴）。これらの犯罪歴に加え、Kが被害者夫婦と34年前から付き合いがあったことや、本件発生時に消費者金融から２００万円以上の借金があったことも事件への関与を強くうかがわせた。

取り調べで、Kは「私がやったことに間違いはありません」と素直に犯行を自供する。その供述には「事件当日、被害者の福田さんと話をしているとき、福田さんの携帯に電話がかかってきた」など犯人しか知りえない事実も含まれていたことから、本件はKの犯行で間違いないと思われた。しかし、裏づけ捜査を進めるうち、警察はいくつもの問題に突き当たる。ＣＤ-Ｒの作成時期がKの証言と合致しない、Kのノートパソコンに犯行声明文を作成した痕跡がない、Kは被害者夫婦の首をヒモで絞めた供述しているものの法医学者の見立てでは手で絞めた可能性が高い、Kが本件前後に通ったという道に防犯カメラにその姿が映っていない、「30年以上前からの付き合いの積み重ねでやった。被害者により（２００５年に死亡した）父親のことをバカにされた」との動機の供述の裏づけが取れない等々。そもそも、Kが真犯人であれば、なぜＣＤ-Ｒにわざわざ自分の名前を記載したのかも大きな疑問だった。

２０１３年7月24日、こうした状況から検察はKが自供しているものの犯人とするには複数の疑問が残ると嫌疑不十分で不起訴相当の判断を下す。最も疑わしい人物が捜査線から外れたことで全てが振り出しに戻ってしまった本件は２０１３年10月、警察庁捜査特別報奨金事件に指定され、遺族からの謝礼金と合わせると上限1千万円の懸賞金が支払われることになったが、その後は進展が見られず、２０２３年3月現在も未解決のままである。

仙台徳洲会病院駐車場内 殺人・死体遺棄事件

燃えた車から60歳の男性の遺体発見。なぜ、人目につく病院の敷地内に遺棄したのか？

２０１２年４月24日14時頃、宮城県仙台市泉区の仙台徳洲会《とくしゅうかい》病院の駐車場内に駐車されていた軽乗用車から火の手が上がった。通報を受けた消防により火はすぐに消し止められたが、後部座席から男性の遺体が発見され、車内にあった財布に入っていた身分証明書より遺体の身元は現場から約20キロ離れた仙台市太白区《たいはくく》に住む武田《たけだ》忠《ただし》さん（当時60歳）と判明。武田さんは鈍器や素手などで複数回殴打され首を圧迫されたことで死亡したとみられ、また、煙を吸い込んだ形跡がなかったことから、何者かに殺害された後に車ごと焼かれそうになったとにらんだ宮城県警は殺人および死体遺棄事件として泉警察署に捜査本部を

事件現場の仙台徳洲会病院。病院の建物は2022年4月に新築移転された

殺害遺体が発見された車と被害者の特徴を記したチラシ

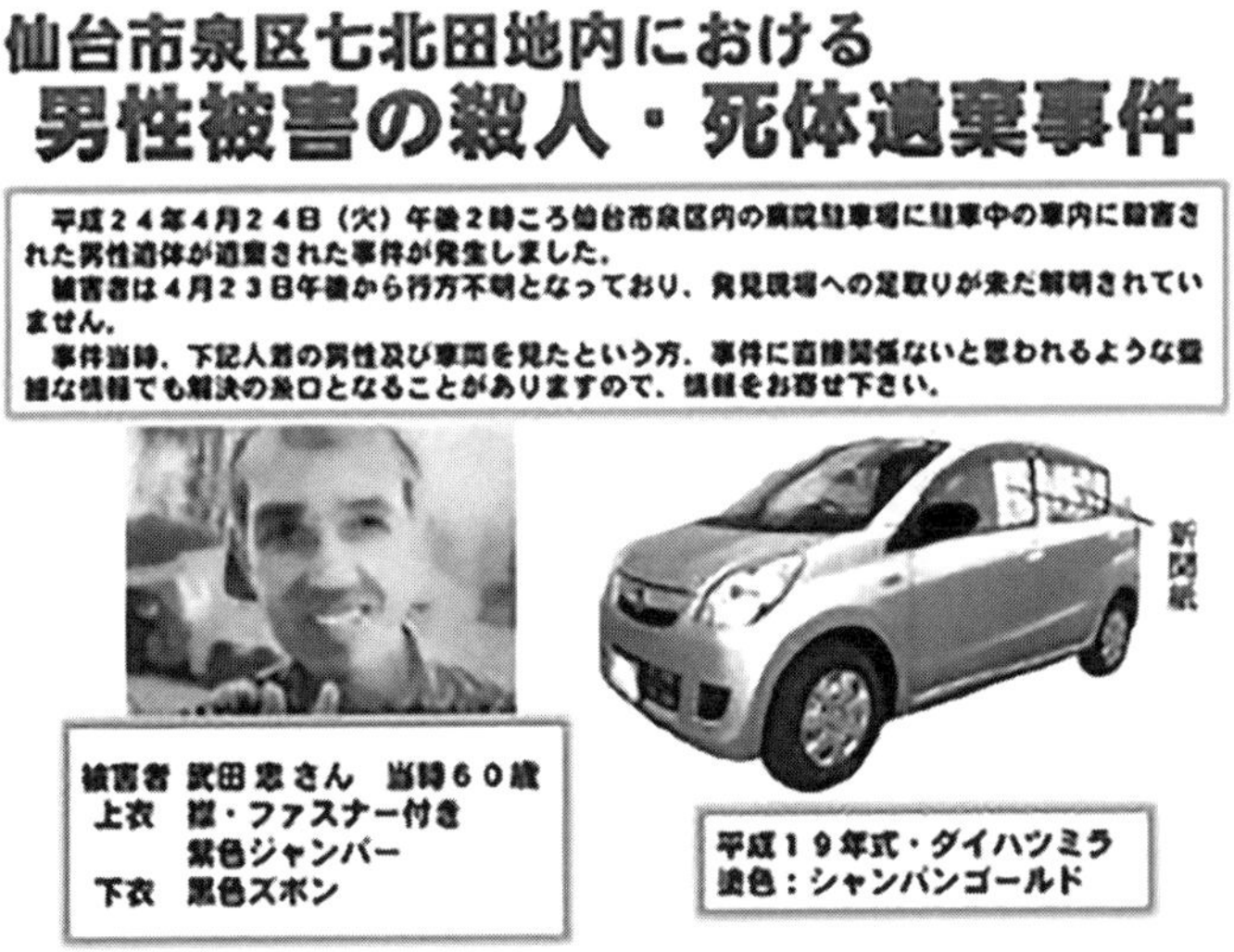
仙台市泉区七北田地内における
男性被害の殺人・死体遺棄事件
平成24年4月24日（火）午後2時ころ仙台市泉区内の病院駐車場に駐車中の車内に殺害された男性遺体が遺棄された事件が発生しました。
被害者は4月23日午後から行方不明となっており、発見現場への足取りが未だ解明されていません。
事件当時、下記人着の男性及び車両を見たという方、事件に直接関係ないと思われるような些細な情報でも解決の糸口となることがありますので、情報をお寄せ下さい。
新聞紙
被害者 武田忠さん 当時60歳
上衣 襟・ファスナー付き
紫色ジャンパー
下衣 黒色ズボン
平成19年式・ダイハツミラ
塗色：シャンパンゴールド

立ち上げる。

司法解剖により前日に食べていたと思われる消化しきっていない食品が胃の中に入っていたことから武田さんは23日までは生きていたと推測された。それを裏づけるように、同居人の女性（同59歳）が23日の昼頃、宮城県名取市のコンビニの駐車場で武田さんと一緒に弁当を食べ、13時頃に太白区内にあるパチンコ店で別れたと証言している。近くのコンビニの防犯カメラには軽乗用車を運転していた被害者の姿が映っており自宅方面へと向かっていたが、その後の足取りは不明。帰宅予定の23日夕方までに戻らなかったことから、24日昼頃に同居人女性が警察に行方不明届を提出していた。

遺体が発見された車の助手席と後部座席の左右の窓には、外から車内が見えないよう新聞紙がテープで貼られており、新聞紙の一部が燃えたものが車内に散らばっていた。車内からは灯油が入った容器が見つかっており、後部座席に灯油を撒いた跡と見られるものがあったことから、犯人は被害者を殺害後に証拠隠滅を図ろうとしていたとみられている。また、車の鍵は差し込まれたままとなっておりドアには鍵がかけられていなかった。駐車場は有料制となっており、入庫時間が刻印された駐車券が発行されるはずだが、見つかっていない（焼失したか持ち去られたかは不明）。警備員の証言によると、車が入ったのは遺体発見直前の24日13時50分頃だったそうだ。発見時、車のガソリンの残りは少量しか入っていなかった。武田さんには少しずつ給油する習慣があったことから移動距離は限られ、殺害場所は発見現場の近くと推測された。

警察は武田さんが何者かに恨みを買ったものとにらみ、交友関係を徹底的に調べた。まず、武田さんに病院への通院歴はなかった。さらにトラブルに巻き込まれていたような形跡も皆無。そもそも、なぜ犯人が大病院の駐車場という目立つ場所に遺体を運び車を燃やしたのかもわからなかった（防犯カメラの映像に関する情報は公表されていない）。いったい、誰が何の目的で？　宮城県警は犯人逮捕に繋がる有力な情報に最大３００万円の懸賞金を設け捜査を現在も継続中だが、大きな進展はない。

市営地下鉄泉中央駅で情報提供を呼びかける宮城県警の捜査員（2020年4月）

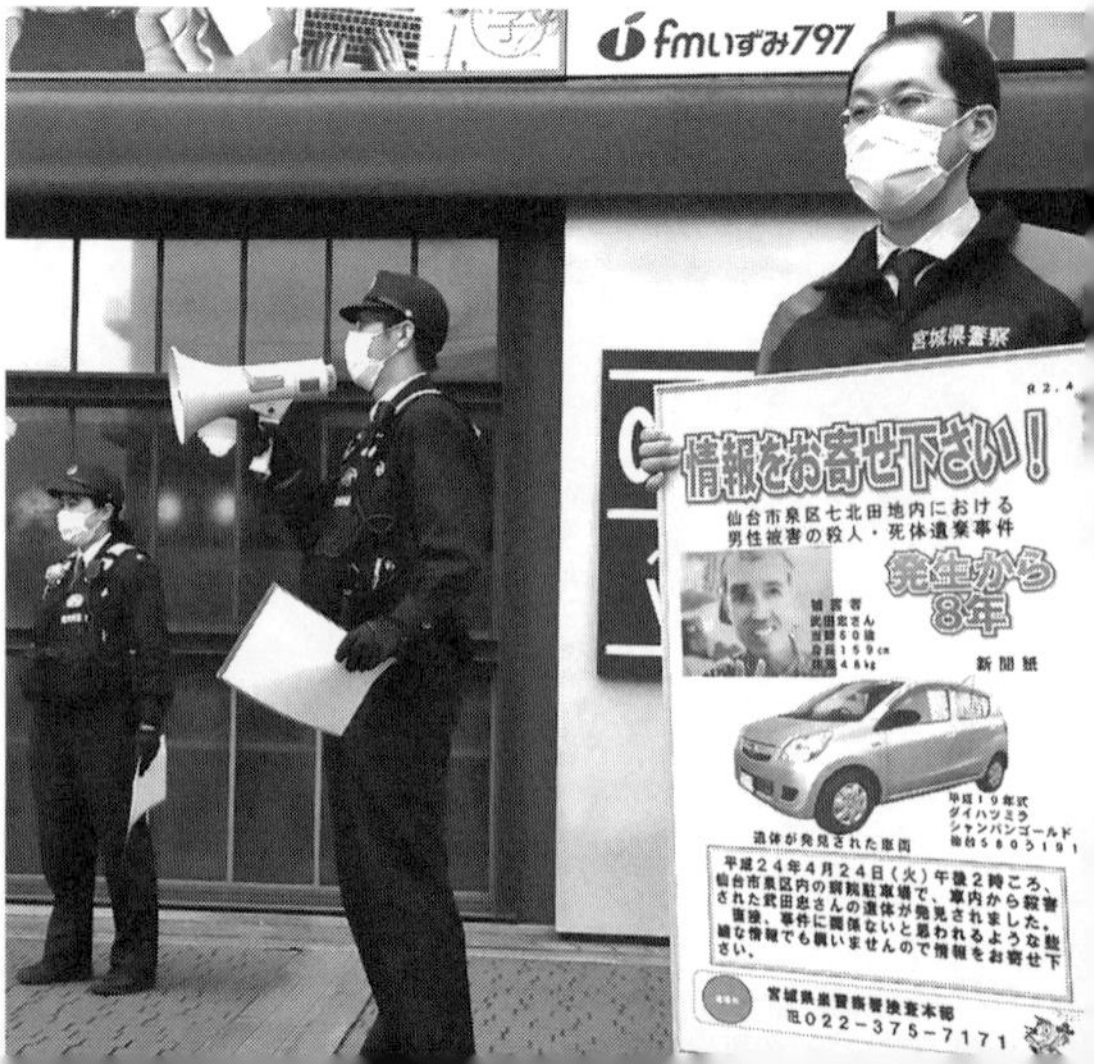

青森市高齢女性連続殺人事件

争ったり室内が荒らされた形跡なし。同一犯の可能性大

2018年6月12日午前11時30分頃、青森県青森市旭町1丁目の木造2階建ての民家（JR青森駅から南に約1キロ）に1人で住む無職の菊地のり子さんが玄関近くの廊下で仰向けに倒れているのを、家に訪ねてきた近くに住む菊池さんの妹が発見した。119番通報を受けた救急隊がすぐに現場に駆けつけ菊池さんの死亡を確認。その後の調べで死因は首を手や柔らかい布のようなもので絞められたことによる窒息死で、死後数日経っていることが判明した。遺体に目立った外傷はなかったが、襲われた際に抵抗してできたと思われる小さな傷が腕に確認され、その血痕が遺体の傍から検出された。

殺人事件と断定し捜査を開始した青森県警は、現場に争ったような跡や荒らされた形跡がなく、叫び声や悲鳴を聞いた情報もなかったことから、顔見知りによる怨恨の可能性もあるとみて菊池さんの交友関係やトラブルの有無を徹底的に洗ったが、目立った情報は得られなかった。その後、近所に住む高齢女性から「9日にゴミ出しをする菊池さんを見かけた」との目撃証言があったため、菊池さんは9日以降に殺害された可能性の高いことが判明した。

1週間後の同月19日、菊地さん宅から直線距離で100メートルほどしか離れていない同市北金沢2丁目にある店舗兼住宅で、夫を亡くし1人で食料品店を切り盛りし、毎日午前6時頃には店のシャッターを開け野菜や果物を販売していた小山和子さん(同79歳)が死亡しているのが見つかった。この日の午前8時30分頃、数日前から小山さんと連絡が取れないことを心配し小山さん宅を訪ねてきた80代の知人男性が勝手口から屋内に入ったところ、居間で靴を履いたまま首にスカーフを巻かれ仰向けに倒れて死亡している小山さんを発見。司法解剖の結果、遺体の胸や腹に複数の刺し傷があり、さらに首のスカーフの上から手で絞められたような痕跡も見つかった。ただ、今回の事件でも争ったような形跡はなく、財布も残されたままで、警察はやはり怨恨を視野に入れ捜査を開始。15日

殺害された菊地さん宅(上)と、小山さんが住んでいた店舗兼住宅。2つの家は100メートルの近距離にあった

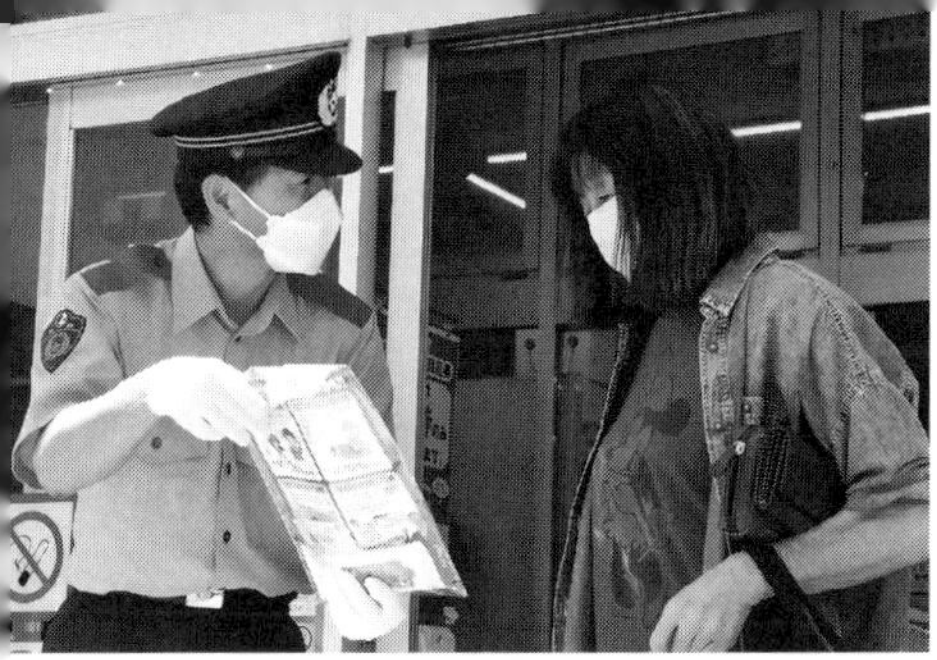

事件現場に近いスーパーで情報提供を求める捜査本部が置かれた青森署の西川茂署長（2022年6月）

付けの新聞が家の中にあり、同日からシャッターが閉まっていたとの情報もあることから殺害は15日の朝刊配達以降と推定する。

警察は両事件の現場が極めて近いことに加え、被害者2人の首に絞められたような跡があったことなどにより、一人暮らしの高齢者を狙った同一犯による連続殺人の可能性が高いと推定した。しかし、犯人像はおろか動機についても関連性はわからず捜査は難航する。そんななか、2つの事件現場近くにある旅館で同年5月末に不審な男が侵入し現金を盗んで逃走していたことが判明。この旅館も2人の被害者宅同様に夜中に玄関を施錠していなかったことから、同一犯の可能性が疑われたが、結局、関連性はわからず仕舞いだった。また、近隣住民の聞き込みで、小山さんが事件前の9日夜、知人に「帽子を被った男が台所の窓から中を覗きこみ勝手口のドアを開けようとしたため、泥棒！　と叫んだところ慌てて逃げた」と話していたことがわかり、警察はその60代と思しき男の行方を追ったが、こちらも特定することはできなかった。

果たして2人を殺害した者は誰か。同一犯か否か。恨みを買うような人柄ではなかった彼女たちを金品奪取目的ではなく殺めた動機は何か。捜査本部はこれまで5万人以上の捜査員を投入、現在も犯人逮捕に向け全力で取り組んでいるが、事件解決に繋がる有力な情報は寄せられていない。

第4章
不可解な死

世界的画家、ファン・ゴッホの死

地元の悪ガキが銃を誤発射させたという説も

『ジャガイモを食べる人々』『ひまわり』などの作品で知られるオランダ出身の世界的画家、フィンセント・ファン・ゴッホ。晩年、彼は発作に苦しみ入退院を繰り返した挙句、１８９０年7月29日、フランス・オーヴェルの麦畑付近でピストル自殺を図り、37歳で死亡したとされるのが定説である。が、その現場を直接目撃した者はおらず、自らを撃ったにしては銃創や弾の入射角が不自然な位置にあることや、弾が体内に残っていた点（自ら撃てば通常は貫通する）、また本当に死にたかったのなら、確実に絶命できる心臓やこめかみ、口に銃弾を放てばよいはずなのに、なぜ腹部を撃ったのか。自殺前に大量の絵の具を注文していたことも不自然で、彼の死には今

死の3年前の１８９７年に発表されたゴッホ作の『自画像』

2017年の映画「ゴッホ 最期の手紙」に登場する、
1890年にゴッホが描いたとされるルネ・ガストンの肖像画

なお多くの疑問がつきまとっている。

２０１１年、ゴッホの伝記を刊行したスティーヴン・ネイフとグレゴリー・ホワイト・スミスが、ゴッホは地元で顔見知りだったルネ・ガストンという16歳の少年とその仲間たちと小競り合いの末、彼らが持っていた銃が暴発、誤射し死亡したとする説を唱えた。なんでも、ルネはバッファロー・ビルという西部劇のガンマンに憧れ、よく誤発射する古い本物の銃を振り回す悪ガキで、彼とその仲間は、ゴッホの絵の具箱に蛇を入れて驚かせたり、ゴッホが考えているときに絵筆を口にくわえる癖があることに気づき絵筆に唐辛子をつけ苦しむ姿を見て喜んでいたのだという。また、ゴッホの死の当日、ゴッホとルネが一緒にいたところや、ルネの家に行く道をゴッホが歩いていたのを目撃したと主張する人間もいるのだという。

ただ、ルネが死の直前に受けたインタビューでは、ゴッホをからかったことは認めたものの、ゴッホが自殺した日の数日前にオーヴェルを去ったと主張し、発砲に関しては何も語らなかったそうだ。対し、ファン・ゴッホ美術館は「新説は興味深いが依然疑問が残る」とコメントしている。ちなみに、ゴッホが自殺に用いたとされる銃は１９６０年にオーヴェルの農地から発見され、２０１６年7月、同美術館で展示された。

女優ヴァージニア・ラッペ死亡事件

パーティ中に性的暴行を受けたとして主催の喜劇役者が逮捕されたが

ヴァージニア・ラッペ（1891年生）はサイレント映画時代に活躍したアメリカ・ハリウッドの女優である。14歳のときシカゴでモデルとして活動を始め、1916年に映画進出のためにロサンゼルスへ移転。1917年の春には女優として働くようになり、1919年に映画監督のヘンリー・レアマンと恋愛関係に発展、彼の作品には4本出演した。

事件は禁酒法が敷かれていた1921年9月5日、彼女が30歳のときに起きる。この日、ラッペはサンフランシスコの高級ホテルのセント・フランシスホテル（現在のウェスティン・セント・フランシス）のスイートルームで開催された、「デブ君」の愛称で知られた喜劇役者ロスコー・アーバックル（1887年生）主催のパーティに参加し、何者かに性的暴行を受ける。膀胱破裂に起因する腹膜炎で死亡したのはそ

ヴァージニア・ラッペ（右）と、容疑者として逮捕されたロスコー・アーバックル

の3日後。ほどなく警察は、主催者のアーバックルを強姦殺人（故殺）容疑で逮捕・起訴する。

新聞は瞬く間に事件を取り上げ、映画業界のスキャンダルとして大々的に報じた。アーバックルにコーラの瓶を局部に挿入された、事件以前から男性との関係を多く重ねていた彼女の度重なる妊娠中絶や淋病などによる合併症が原因など、記事は読者の関心を引くため興味本位のまま様々に書き立てられ、新聞は飛ぶように売れた。ちなみに、パーティには約40人が参加していたが、全員が泥酔していたことで事件時の状況を誰も正確に覚えておらず、証言の食い違いが数多く生じたという。

裁判でアーバックルは「そのような事実はない」と起訴事実を否認。結局、証拠不十分で無罪となったが、本人に自責の念が全く見られなかったことから世間のバッシングを受け、事実上、映画界から追放される。3年後、アーバックルは名前をウィル・グッドリッチと変えマイナー会社のB級映画の監督として復帰するも日の目を見ることなく、1933年6月29日、心臓麻痺によりニューヨークのマンハッタンで死亡した（享年46）。事件は「映画界の汚点」という見方や、逆にアーバックルを冤罪事件の被害者とする意見など様々に乱立しており、現在も真相解明には至っていない。

ARBUCKLE TO GO ON TRIAL FOR LIFE FOR VIRGINIA
Figures in the Arbuckle Tragedy
DAILY INQUIRY UNCOVERS PRICE FIXING SYSTEM
WOMAN LAWYER BLAMES BOOZE
MRS. OBENCHAIN IS DENIED BAIL

事件を報じる当時の新聞

チェコスロバキア外相、ヤン・マサリク転落死事件

共産主義者により窓から突き落とされた可能性大

1948年3月10日、チェコスロバキアの外務大臣であったヤン・マサリクが61歳で謎の死を遂げた。同国の初代大統領トマーシュ・マサリクを父に持つマサリクが外相に就任したのは第二次世界大戦中の1940年7月。当時、チェコスロバキアはロンドンに亡命政権を設立しており、マサリクはBBCを通じてドイツ軍による占領下にある母国に定期的に放送を実施。1945年5月、ドイツが降伏したことにより帰国し、その後元チェコスロバキア大統領で、ロンドンの亡命政府の代表だったエドヴァルド・ベネシュが大統領に復帰し、マサリクは改めて外務大臣となった。しかし、終戦後の同国ではソ連の影響が強まり、1946年の選挙でチェコスロバキア共産党が38％の得票を得て第一党になった。これを受けて共産党指導者クレメント・ゴットワルドを首班とする連合政党である国民戦線政府が成立し、内務省など治安機関や教育・宣伝といった重要ポストを獲得したが、マサリクは外務大臣に留任する。その後、アメリカとソ連の冷戦が深まり、隣国のポーランドやハンガリーで共産党の一党体制が成立していく国際環境の変化は、チェコスロバキアの国内政治にも影響を及ぼし、国民戦線を通じて連合政権を組んでいた非共産系の政党と共産党政権の亀裂が深まっていく。

ヤン・マサリク（円内）が転落死した外務省の中庭と、遺体発見時の様子

1948年2月22日に、ノセク内相が閣内での合意を無視して非共産党員の警察官の職場復帰を拒否したことを受けて、12名の非共産系閣僚が抗議の表明として辞表を提出。その後全国でソ連の後援を受けた共産党主導の示威行動が発生し、またソ連大使ヴァレリアン・ゾーリンがプラハ入りし、ソ連の介入可能性が高まっていく状況やクレメント・ゴットワルドによる全国ゼネストの呼びかけといった政治的圧力を受けて、同月25日にベネシュは最終的に辞表を受理。共産党と親モスクワ派の社会民主党によりゴットワルドが首班となる新政権を指名したが、マサリクはこの政権でも外務大臣に留任した。

同年3月初旬、マサリクはソ連に呼び出されモスクワを訪問し、ヴャチェスラフ・モロトフ外相と会談。帰国後間もない3月10日に外務省の中庭、浴室の窓の下でパジャマ姿で遺体となって発見された。死因は転落死で、当局は窓から飛び降りて自殺したと発表した。が、冷戦が終結し秘密文書が次々と公表されるようになった1990年代以降、マサリクは政府の大半を占める共産主義者により窓から投げ落とされ殺害されたとする説が有力視され、2004年にプラハ警察が公開した調査結果でも彼の死は他殺とされている。

オーストラリア首相、ハロルド・ホルト水難死亡事故

公には水死とされるも自殺説、暗殺説、中国のスパイ説も

ハロルド・ホルトは1908年、興行師の父と、演劇界で有名な一家の出の母の下、オーストラリアのシドニーで生まれた。両親の影響で必然的に彼もまた演劇に興味を抱いて成長。メルボルンのクイーンズ大学では法律を学んだが、それも自分の演劇の能力を弁論という形で発揮できると考えたためだった。しかし、大学の先輩の政治家で後にホルトの引き立て役となるロバート・メンジーズと知り合ったことをきっかけに政界を目指し、1934年にメルボルンの補欠選挙に立候補。このときは落選したものの、翌1935年、再度自由党から立候補し見事に当選を果たす。

1939年、ホルトは31歳の若さで大臣に。翌1940年には所属する自由党が連立内閣を組まざるを得なくなった関係から閣僚のポストを

ハロルド・ホルト元首相。享年59だった

ホルトが姿を消した
チェビオット・ビーチと、
魚取りを楽しむ様子

外されるが、新閣僚3人が航空事故で命を落としたことで、労働相として再び大臣に就任する。1961年には経済政策の失敗から危うく政治生命を絶たれるところだったものの景気回復により危機を回避し、1966年にロバート・メンジーズ首相の後継として第17代オーストラリア首相の座に就いた。

就任当初、世間は演技じみた性格で、プレイボーイとしても名高かったホルトをもてはやした。しかし、時代はベトナム戦争の真っ最中。ホルトは党の政策を引き継いで戦争に協力的で派遣軍を増強したことから若い世代の反発を招いたり、議会でも軍用機の私的利用や新人議員の演説妨害などで批判を浴びるようになり、自由党は選挙に連戦連敗、党内でもホルトの失脚を望んでいる者がいるという噂が日増しに高まっていた。

そうした情勢のなか、1967年12月17日、事件は起きる。その日の午後、ホルトはいつもの週末どおり、友人ら5人でビクトリア州ポートシー近くのチェビオット・ビーチを訪れた。当ビーチは波が静かなときは5歳の子供でも泳げるような海岸だが、天気が悪いと潮の向きが急変するビクトリア州沿岸でも最も危険な水域として知られ、当日も突風が吹き荒れ巨大な引き波が渦巻いていた。

しかし、水泳選手の経験だったこともあるホルトは周囲の制止にかまうことなく、海に入り泳ぎだす。たちまち沖の方まで泳いでいくホルト。そして、彼はそのまま海から消失した。ホルトの姿が見えなくなったことに気づいた一行は崖を登り高い位置から彼を探した。しかし何も見つからず、彼らはダイバーに救助を求める。すぐに3人のダイバーが海に飛び込んだ。が、強い引き波とそれによって濁った海水に阻まれ、ほとんど視界はゼロ。ダイバーは岩を登り、警察と捜索救急隊が到着するまで双眼鏡で海面を捜索した。

1時間以内にヘリコプターが沿岸をホバリングし、安全ロープで繋がれたダイバーが再び渦巻く海に潜って探索を再開。日が沈むまでに、オーストラリア陸軍、海軍、沿岸警備隊、ビクトリア海軍委員会、航空省などから200近くの人員が動員され、6日間にわたり捜索救助活動が展開された。しかし、ホルト首相本人はおろか、遺留品すら発見できず、2日後、正式に死亡が宣言さ

遺体捜索に動員されたダイバーたち

れる。

　普通に考えれば、溺死であろう。しかし、一国の首相の唐突な最期だけあって世間では様々な噂が飛び交った。当時、彼が政治的圧力とベトナム戦争の反対運動の高まりで、国民やメディアから攻撃されていたことや、失踪時、一緒にいたマージョリー・ガレスピーという女性と不倫をしていた（数年後、ガレスピーは首相との不倫関係を認めた）などに苦しみ自殺を図ったとする説、ホルトがアメリカへの支持を取りやめる前にＣＩＡが暗殺したとする説、首相の死にもかかわらず「事故死」が素早く宣言された裏にはオーストラリア政府の中で隠蔽があったと推理する説、果てはホルトは中国のスパイで潜水艦に乗り込んで中国に渡ったのだという説まで流れ、事件は長らく未解決とされてきた。

　38年後の２００５年９月２日、地元のビクトリア州の検視官が他の水難行方不明者の事例と共に「ホルト首相は荒波にさらわれて水死した」と最終判断を下した。しかし、オーストラリアでは今もホルトが何かしらの陰謀に巻き込まれたと信じている人も少なくないという。

1966年、米ジョンソン大統領（右）と。当時、ホルトはアメリカが推し進めるベトナム戦争を支持する立場を取り、国内の反戦派から非難を浴びていた

カリフォルニア州ユバシティ 5青年失踪・遺体発見事件

なぜ、彼らの車は帰宅ルートから大きく外れた場所に放置されていたのか？

1978年2月24日、米カリフォルニア州のユバシティに住むビル・スターリング（当時29歳）、ジャック・ヒューイット（同24歳）、テッド・ヴェイヘル（同32歳）、ジャック・マドルガ（同30歳）、ゲイリー・マティアス（同25歳）が同州チコのカリフォルニア州立大学で行われた大学バスケットボールの試合を観戦した。5人は全員が軽度の知的障害ないし精神疾患を抱えたスポーツ好きな友人同士で、地元では「ザ・ボーイズ（坊やたち）」の愛称で親しまれていた。

試合後、5人は軽い食事と飲み物を購入するためチコのスーパーに立ち寄る。店員が彼らを記憶していたのは、その時間は閉店の22時前で。店を閉める作業にとりかかるのが遅くなったことに腹をたてていたからだった。しかし、これが5人が生きて目撃された最後の姿で、彼らの家族は朝になっても帰宅しない5人の身を案じ警察に失踪届を提出する。

ビュート郡とユバ郡の警察は5人がチコへと向かったルート沿いに捜索を開始した。彼らの痕跡は一切見つからなかったが、2月28日、プラマス国立森林公園の人気のないエリアを通る未舗装の山道で5人が乗っていたマーキュリー・モンテゴが発見された。車内にあったのはチコの店で買った食料の包装紙、空になった紙パック、缶、観戦したバスケットボールの試合のプログラム、丁寧にたたまれたカリフォルニア州の道路地図など。５人の姿はどこにもなかったが、これは彼らが最後に目撃されてから車をこの位置に停め失踪するまで、そこに留まっていたことを意味していた。

警察は、この状況に謎を深める。車が見つかったプラマス国立森林公園はチコからは約１１０キロ離れたユバシティへの帰路から大きく外れた場所だった。なぜ、彼らは寒い夜に長く曲がりくねった山道を車で登り森の奥まで運転していったのか。替えの服など持ち合わせておらず、次の日には彼らが何週間前も楽しみにしていたバスケットボールの試合が控えていたにもかかわらず、なぜ？　５人が車を放置したままいなくなったのも疑問だった。警察は当初、車のキーがなかったことや路面が雪で覆われていたことから、エンジンがうまくかからず、彼らがいったん車を置いて助けを呼び戻ってこようとしていたのだと推測した。が、実際に車の点火装置をショートさせてエンジンをかけるとすぐに始動。ガソリンも４分の１ほど残っており、

失踪した5人。1ジャック・マドルガ 2ビル・スターリング 3ジャック・ヒューイット 4テッド・ヴェイヘル 5ゲイリー・マティアス

車を放置する理由はどこにもなかった。

車を警察署に持ち帰り、徹底的な調査を行うと謎はさらに増す。長距離の山道を車体を揺らし、轍をつくりながら駆け上がったにしては、車の下部にへこみも傷もなく、泥のこすれた跡さえなかったのだ。ちなみに、ハンドルを握っていたのはマドルガ1人で、彼が特に運転に慎重だったり、道に詳しかったような事実はない。

地元メディアで彼らの失踪が報道されると多くの目撃情報が寄せられ、その中に有力なものが2件あった。24日の夜に、モンテゴが見つかった場所から少し離れたところに自分の車を停め、車内で一晩を過ごしたと語るこの男性は、雪の中から車を押し出そうとしたときに軽い心臓発作に襲われ、車内でその痛みに耐えていたという。それから6時間ほどが経過したとき、後ろからヘッドライトを点けた車が近づき男性の前で停車。車の周りに複数の男性の人だかりができた。男性は必死に助けを求めたが、彼らはヘッドライトを消し、そのまま立ち去ったという。もう1つは、車の発見場所から約50キロ離れたブラウンズビルという小さな村で、行方不明者の4人に似た男性が赤いピックアップトラックに乗り食料品店に立ち寄ったという情報である。彼らを見たという店主や客の女性によれば、4人のうち2人が店でソフトドリンクを買い、他2人は外の公衆電話で電話をかけていたという。警察はこの2件の情報に信憑性があるとしてさらに詳細を調べたものの、それ以上のことは掴めなかった。

雪も融けた6月4日、車が乗り捨てられていた場所から約32キロ離れた森のバックパッカーが宿代わ

5人が乗っていた1969年製マーキュリー・モンテゴの同型車

りにしていた小屋から腐敗臭がするとの通報があり、警察が調べたところ、それはヴェイヘルの遺体から放たれているものと判明した。翌日には約20キロ離れた地点でマドルガとスターリングの遺体、その2日後にヒューイットの遺体発見。死因はいずれも低体温症だった。

警察を悩ませたのは、最初に見つかったヴェイヘルである。彼の遺体が発見された小屋には、マッチと薪代わりのペーパーバックの小説がいくらでもあったにもかかわらず、小屋の暖炉には火がくべられた形跡がなかった。その他、小屋には森林保護官のための厚手の服もあり、それを着れば温かいのに、これも収納されたまま。さらに、外の貯蔵庫に入っていた大量の缶詰は食べた跡があったものの、乾燥食品は手つかずだった。その量は5人の男が必要であれば1年間食べてもなくならないほどだったが、驚くべきことにヴェイヘルの死因が餓えによる衰弱死だったという。

警察はその後も懸命に捜査を続けたが、彼らがなぜ帰路とは違うルートに車を走らせたのか（マティアスがフォーブスタウンという小さな街に友人がおり、そこを訪ねるためだったという説がある）。なぜ生きるに十分な食料や暖があったのに死に至ったのかは不明のままで、マティアスにいたってはその生死すらわかっていない。

ドン・ケンプ不審死事件

謎の電話、矛盾する死亡推定時期、消えたリンカーンに関する資料

ドン・ケンプ（１９４７年生）は米ニューヨークの広告会社で働くエリートサラリーマンだった。ところが、１９７６年、不幸にも交通事故に遭遇、元の体に戻るまで2年の時間を余儀なくされる。一方、ドンは事故をきっかけに、前々から深い興味を抱いてた「リンカーン大統領暗殺事件」の研究に没頭し、それを本に著すため１９８２年9月、私物を処分しワイオミング州ジャクソンホールに車で旅立った。

同年11月15日、ドンはワイオミングの小さな博物館に立ち寄る。館内をゆっくり見学すること2時間。その間、彼と会話した者は１人もない。博物館を出てほどなく、アタッシュケースがないことに気づいたドンは博物館に電話をかけ、そこに忘れたことを確認。後で取りに行くと言い電話を切った。しかし、彼が博物館に現れることはなく、そのままこつ然と姿を消してしまう。

翌16日、ドンの車がワイオミング州中央部の人気のない道路の出口付近で発見された。車はアイドリング状態でラジオはつけっぱなし、全てのドアが開いていた。警察が調べたところ、辺りにうっすら積もった雪の上に足跡が残っていた。それは大草原へ向かっており、途中でドンのティーポット、さらに4マイル離れた放置状態の納屋の中で彼の靴下、洗濯石鹸、衣服、ポットなどが入ったバッグが発見される。が、肝心のドンの姿はどこにもなかった。捜査開始から3日目、現地は大吹雪となり捜索が打ち切られる。警

ドン・ケンプ。知的好奇心に満ちた人も羨むエリートサラリーマンだった

察の見立ては、交通事故の後遺症で精神を病み、辺りをうろつきまわってから納屋に入った後、外で自殺したというものだった。しかし、ドンの母親メアリーは警察の結論に納得できず、独自に調査を続け後に一つの手がかりにたどり着く。

ドン失踪から5ヶ月が過ぎた1983年4月、ドンの元同僚で友人のジュディスという女性がヨーロッパでの長い休暇からニューヨークの自宅に戻ったところ、留守番電話にドンのメッセージが6件残っていることに気づいた。それはいずれも短く、単に電話をかけ直してほしいと番号を告げたもので、声の主は間違いなく聞き慣れたドンのものだった。ただ、ジュディスが留守電に残された番号に電話をかけ「ドンと話したいのですが」と喋りかけると、ドンとは明らかに違う男がいったん「はい」と答えたものの、突然気が変わったかのように「いいえ」と、すぐに電話を切ってしまったという。この事実を知った母メアリーが警察に捜査を依頼した結果、電話はワイオミングのあるトレーラーハウスからかけられていたことが判明する。そこに住んでいたのはマーク・デニスという男性。しかし、マークは警察の事情聴取に対し、電話など一切かけていないと主張。警察はドンとマークの接点さえ掴めず、ほどなくマークは転居してしまう。ところが、後にマークの写真を見たドンの妹キャシーが、マークがドンに外見がそっくりだと言い出す。彼女曰く、ドンがマークと名乗っているのではないかと。しかし、キャシーが警察から聞かされたマークの声はドンとは全く異っており、結局、謎が残っただけだった。

失踪から3年後の1986年、ドンの遺体が彼の車が放棄された場所からわずか数マイルのところで発見された。警察は、遺体に全く損傷がないことに疑問を抱く。冬季は雪に覆われていたとしても、雪解けの春になれば遺体は土の上に現れ、風雨にさらされたり動物に食い散らかされていてもおかしくない。なぜ、ドンの遺体に傷一つないのか。

謎はさらに続く。スミソニアン博物館の人類学研究者でFBIにも協力し司法解剖の権威である博士がドンの遺体を調べたところ、遺体は死後1年〜2年で、舌を支えるU字型の骨（舌骨）だけが消えていることが判明したのだ。ドンが失踪したのは1982年。博士の調査結果に間違いがなければ、ドンは行方不明から2、3年は

失踪翌日に見つかったドンの車「SUV」

ドンの友人女性に不審な電話をかけた
発信元の家に住んでいたマーク・デニス

生きていたことになる。また、警察の当初の見立てどおり彼の死が自殺なら、舌骨だけがなくなることなどありうるだろうか。

ドンの死を巡っては、他にも不可解なことが起きている。失踪翌年の1983年、母メアリーはドンの友人に息子の車をワイオミングから、自分たちの住むメリーランドまで運んでもらうよう依頼した。これを快諾した友人はワイオミングまで飛びドンの車を自分で運転してメリーランドまで運ぼうとしたのだが、その途中に立ち寄ったモーテルで車が故障。修理を頼んで戻ってきたとき、車の中にあったはずのドンの書類が半分以上盗まれていた。さらに運転し続け、ようやくメリーランドに到着する寸前、またも車が故障し、今度も書類が盗まれる。それはドンが長年研究していた、エイブラハム・リンカーンに関するものだった。それでも、ノート類は残っており、メアリーはそれを今後の研究に役立ててもらうべく歴史学者に渡したところ、数日後、その歴史学者は交通事故に遭い死亡してしまう。唯一残ったものはリンカーンに関する研究を録音したドンのカセットテープのみ。メアリーは友人にこのテープを渡したのだが、その直後、友人の家が火事になり本人も死亡する。こうして、ドンが長年調べてきたリンカーンの資料は一切が消えてしまった。

果たして、一連の不可思議な出来事はドンの死と関連しているのだろうか。警察の見解は現在も自殺で変わっていない。

ヴィッキー・モーガン殺人事件

億万長者の愛人になった女性の残酷な末路

1952年、米コロラド州で生まれたヴィッキー・モーガンがその美貌を武器に女優を目指しハリウッドにやって来たのは16歳のときだ。その後、チャイニーズ・シアターで受付嬢に就き、18歳でダイナーズ・クラブ創始者の孫息子で超高級デパートのブルーミングデールズを経営していた億万長者のアルフレッド・ブルーミングデールズ（当時54歳）に出会う。アルフレッドはヴィッキーに一目惚れし、自分の愛人になるよう提案するが、彼女はこれを拒否する。実はヴィッキーは計算高い女性で、すぐにオッケーすれば相手になめられると、焦らしに焦らし、出会いから数ヶ月後、ようやくアルフレッドの申し出を引き受ける。

アルフレッドはヴィッキーに高級マンション、高価な服や宝石、車、月1万8千ドルの手当などを与え贅沢な暮らしを堪能させる。対し、ヴィッキーは時に娘、時に女王様と顔を使い分け、ますますアルフレッドを自分の虜に。また、アルフレッド

ヴィッキー・モーガン。貧しい家庭に育ち金への執着は人一倍だった

が時の大統領、ドナルド・レーガンの近くで仕事をすることになり、政界の人間の弱みを握っておく必要があると考えた際、その役を買って出たのもヴィッキーで、彼女は自分も参加した連邦政府高官の乱交パーティのビデオを持っていたとも言われる。

アルフレッド・ブルーミングデールズと妻のベッツィ

転機を迎えるのは1982年。アルフレッドが喉頭ガンを患い、さらにアルフレッドの妻ベッツィに毎月の巨額のお手当を気づかれ支払い中止になってしまったのだ。この処遇にヴィッキーは怒り500万ドル（後に1千万ドルに増額）の同棲解消手当てを求める裁判を起こす。そんな騒動のなか、アルフレッドは最初の裁判が終わる前に死亡するのだが、死の床で彼は自分が死ん後もヴィッキーが困らないよう、レストランの権利書を与え、多額の収入を与える書類を作成していた。果たして巨額の遺産を手にしたヴィッキーだったが、妻ベッツィが遺言書の無効を主張し、これが通ってしまう。

最終的に希望した1千万ドルとはほど遠い20万ドルで和解したヴィッキーは高級マンションから安アパートへ転居。そこで、愛人時代に見聞きした政府高官の

アルフレッドはヴィッキーを溺愛していた（写真は2人を題材とした舞台劇の1シーン）

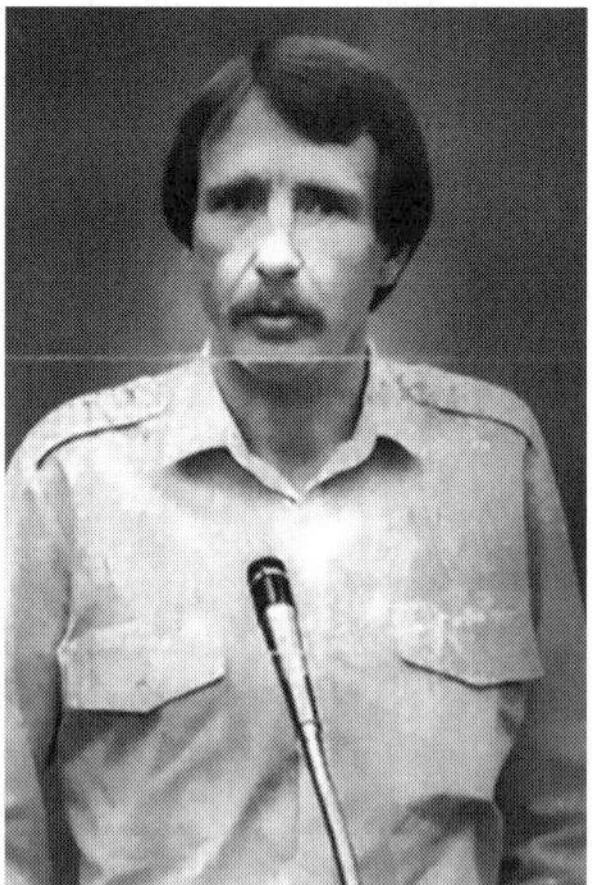

ヴィッキーを撲殺したマーヴィン・パンコースト。裁判では26年の懲役刑が下るも事件から8年後に死亡

秘密を暴露した本の出版準備を進めていた1983年7月7日、彼女は野球のバッドで殴られ命を絶たれる（享年31）。殺害したのは同居人のマーヴィン・パンコーストというゲイの男性で、自ら警察署に出向いた彼の犯行動機は「金欠の不平を毎日のように訴えられたことに我慢ができなくなった」というものだった。

しかし、この自供を素直に信じる者はおらず、世間の見方は暴露本の出版ゆえに政府関係者に消されたとするのが大半だった。その後、ブルーミングデールズ家からは和解金として、15歳になるヴィッキーが10代で産んだ息子トッドに20万ドルが支払われ、実行犯パンコーストは1991年にエイズのために死亡。事件の真相は闇に葬られた。

大雪山SOS遭難事件

倒木で作られたメッセージと、録音テープに残された肉声の謎

1989年7月24日午後、北海道・大雪山《たいせつざん》系の黒岳《くろだけ》から旭岳《あさひだけ》に向かう途中で行方不明になった東京都の登山者男性2人を捜索していた北海道警察のヘリコプター「ぎんれい1号」が、登山ルートから外れた旭岳南方の忠別川《ちゅうべつがわ》源流部で、倒木を積み上げ作られた一辺約5メートルの「SOS」という木文字を発見。ヘリが現場に降り立った結果、そこから北に2～3キロの場所で2人は無事救出された。

北海道警が、SOSの木文字をどのように作ったのかを含め事情を聞いたところ、驚きの答えが返ってきた。なんと、彼らはこのメッセージの存在を知らず偶然にも近くで助けを待っている状態だったのだという。では、誰が木文字を作ったのか。警察は他にも遭難者がいるものとみて改めて捜索ヘリを飛ばし、木文字の付近から動物に噛まれた痕のある人骨の破片と、カセットテープ4本、テープレコーダー、リュックサック、お守りなどの遺留品を発見した（後に頭蓋骨、カメラの三脚、男性用のバスケットボールシューズが見つかっている）。

人骨は旭川医科大学に送られ、当初、20～40歳の女性のものと鑑定された。一方、カセットテープを再

生したところ、そのうちレコーダー内にあった1本の片面には、ラジオ番組の録音の後に2分17秒間、一音一音区切りながら次のように叫ぶ抑揚のない若い男性の声が録音されていた。

「がーけーのーうーえー（崖の上）でーみーうーごーきー（身動き）とーれー（取れず）。エースーオーエースー（SOS）。たーすーけーてーくーれー（助けてくれ）。がーけーのーうーえーでー身動きとれずー。エースーオーエースー。たーすーけーてーくーれー。ばーしょー（場所）はーはーじーめー（初め）にーへーりーに会ったーとーこーろー。ささぶかく（深く）うーえー（上）へはーいーけー（行け）なーいー。こーこーかーらーつーりー（吊り）あーげーてーくーれー」

後の調べで、この事故から5年前の1984年7月、旭岳を登山中だった愛知県江南《こうなん》市の会社員岩村賢治さん（当時25歳）が行方不明になっていることが発覚。彼の

救助ヘリが発見したメッセージ。文字は1985年頃から目撃されていたとの情報も

知人から、岩村さんがカメラを持ち歩いたり、テープにアニメの主題歌を録音していたとの証言が得られたこと、遺留品のバスケットシューズのサイズやお守りの神社の所在地も整合することなどから遺留品の所有者は岩村さんに絞られた。一方、人骨は女性と鑑定されていたため、当初、遭難者は男女2人と考えられていたが、1990年2月、旭川東警察署は発見された人骨は全て愛知県の男性のものであったと発表、遭難者は男性1人であったことが明らかになった。

ＳＯＳの木文字も岩村さんが作ったものと推定される（別の登山者のいたずらとの説もあり）、不思議なのは作成に少なくとも2日は要したであろう体力がありながら、なぜ彼が下山しなかったのか。これについては、いたずらに動き回って体力を消費するより一ヶ所に留まって救助を待つ方が良いと判断したのではないかとの推測がなされているものの疑問は残る。また、岩村さんがなぜ「ＳＯＳ」のメッセージを録音したかも謎である。声を残したところで救助には直接繋がらない。一部には彼が衰弱する前に捜索隊に届くよう大声で録音し流し続けていた、助けを求めて叫んでいる際に何かのはずみでカセットテープのスイッチが入り声が録音されたとの見方もあるが、これもまた真相は不明である。

助けを求める声は当時ワイドショーなどもで流され、現在もYouTubeなどにアップされている

宮城拓磨くん怪死事件

被害児童が生前口にしていた「やさしいおじさん」とは？

1990年3月18日午後12時20分頃、千葉県我孫子《あびこ》市を流れる利根川にて、うつぶせになって浮かんでいる男の子の遺体を釣り人が発見した。千葉県警が調べたところ、遺体の身元は同年2月末から行方がわからなくなっていた東京都文京区在住の宮城拓磨《みやぎたくま》くん（当時12歳）と確認。状況から他殺の可能性が高いとして捜査を開始した。

拓磨くんは千葉県船橋市立宮本小学校6年生で、母親の仕事の都合から（母子家庭だった）同年1月に東京都文京区へ転居したものの、卒業間近だったこともあり電車で同小学校へ通い続けていた。活発で明るい性格から友だちも多く、船橋市に住んでいた頃は夜遅くに帰宅する母親をアパートの2階から階段を駆け降りて迎えに行くなど、親子関係は良好だったという。

その一方で、拓磨くんは6年生に上がった頃から荒れた様子を見せ始め、東京へ引っ越す前後には無断外泊を立て続けに5回ほど繰り返した。同級生たちはリュックサックやビニール袋に衣類を詰めて登校する彼の姿を幾度も見ている。母親が外泊先を聞いても答えず、時には体にアザをつけて帰ってくる日もあった。決定的だったのは2月17日（土曜）。この日15時半過ぎに帰宅した拓磨くんは唇が倍以上に腫れ、体中に引っ掻き傷があった他、足には縛られたような跡が残っていた。異常な状態に母親が問い詰めるも、拓磨くんは反抗的な態度を取るだけで何も話そうとしなかった。

全身の傷が酷いため翌週月曜から学校は欠席を続け、22日（木曜日）夕方～23日明け方まで再び母親と口論。最後は拓磨くんが「学校に行きます」と言い就寝したが、数時間後に母親が起こしに行ったところ拓磨くんの姿は部屋になく、ランドセルも失くなっていた。

2月26日、母親が警察に捜索願を提出するもその後も行方はわからず、千葉県警は事件に巻き込まれた可能性もあるとみて3月13日から公開捜査を開始。拓磨くんは母親との口論の際に「卒業式に出れば文句ないんだろ」と言っていたそうだが、17日の卒業式にも姿を見せることはなく、惨たらしい姿で発見される。

遺体は全裸で、両足が透明のビニールヒモと黄色の布製のヒモを絡ませるようにしてきつく縛られていた。また、左肘にも輪っか状にしたヒモが絡まっており、警察は全身の傷の具合などから両足だけでなく全身をきつく縛られていた可能性が高いと推定する。死因は水死。当初は生きたまま重石をつけて川に投げ込まれたと目されていたが、臓器内に川の水から検出される植物性のプランクトンが含まれなかったため、風呂場などで溺死させられた後、ヒモで全身を縛って利根川に遺棄されたものとみられる。また頭部や両足に生前にできた皮下出血があったことから、激しく乱暴されていたこともうかがわせた。

死亡推定日時は2月25日から3月4日頃と判明した。つまり、拓磨くんは家出をしてから少なくとも数日間は生きていたと考えられた。胃の中は空っぽで、食事を摂れていたかは不明。ちなみに、遺体の発見場所は流れの緩やかな地点だったため、上流から流れ着いたのではなく、発見場所と遺棄場所はそれほど離れていないと推定された。

事件は有力な目撃証言が皆無で捜査は難航した。その中で唯一の手がかりは、生前の拓磨くんが話していた「やさしいおじさん」である。なんでも「やさしいおじさん」とは、船橋市内のショッピングセンター「ららぽーと」の近くで知り合った人物で、食事を何度か奢ってもらったり、車で色々な場所に連れて行ってもらったりしたのだという。家出前に母子で口論になった際も「お母さんよりやさしいおじさんがいるんだ！」と言っていたそうだ。

また、拓磨くんの失踪前には何度か無言電話がかかってきたことがあった。しかし、母親が受話器を取り相手が何も言わないため電話を切ったところ、拓磨くんは「僕にかかってきた電話じゃないのか」と問い詰めたそうだ。おそらくこの電話の主こそが「やさしいおじさん」であり、母親が仕事に出かけている間に拓磨くんと電話で連絡を取っていたものと思われる。

新聞も「やさしいおじさん」について大きく報じた

〝おじさん〟割り出し急ぐ

船橋市に実在か

合同捜査本部設置

学校周辺を聞き込

特に注目すべきは、失踪直前の2月17日、拓磨くんが大ケガをして帰宅した日の彼の行動である。この日、拓磨くんは昼12時過ぎに同級生と下校。いったん同級生の家に立ち寄り、13時過ぎに母親に「これから帰る」と電話をかけている。JR東船橋駅近くで同級生と別れたのが13時半頃。同級生によれば、その後、拓磨くんは東船橋駅ではなく船橋駅方面へ歩いて行ったという。また、別れ際に彼は〝昼食代〟として同級生から500円を借りていったそうだ。これを彼は何に使ったのだろうか。もしかしたら、「やさしいおじさん」に会いに行くための交通費だったのではなかろうか。

同級生と別れた時点で拓磨くんは顔に傷を負っていなかった。しかし、15時半過ぎに東京の家に戻った際は顔を含め全身が傷だらけ。ということは、移動時間を考慮すると14時頃〜15時前に暴行に遭ったものと推定される。帰宅した拓磨くんは母親の問いに「学校でケガした」と答えたという。しかし、それが明らかにウソと察した母親は警察相手なら本当のことを話すのではないかと考え、知人男性に警察官のふりをして電話をかけてもらっている。そこで、拓磨くんはやはり「やさしいおじさん」の存在を明かし、その人物は「ららぽーと」の近くに住む30〜40歳ぐらいの男性で「1月からおじさんの部屋の鍵を預かっている」などと話していたという。怪しいのは明らかに「やさしいおじさん」である。

千葉県警は「やさしいおじさん」が拓磨くんの死に関与している可能性が高いとみて「ららぽーと」近辺や、近隣のアパートやマンション、戸建て住宅で徹底的な聞き込みを行った。が、該当する人物はおらず、有力な目撃証言も得られず仕舞い。果たして、拓磨くんは誰に殺されたのか。「やさしいおじさん」とは何者なのか。そもそも実在したのか。事件は現在も未解決である。

朝木明代・東村山市議転落死事件

警察発表は自殺だが、創価学会に謀殺されたとの説も

１９９５年９月１日夜、東京都東村山市議会議員の朝木《あさき》明代《あきよ》氏（当時50歳）が西武鉄道東村山駅前のビルから転落し、翌２日未明に死亡した。警察は事件性はなく事故と断定したが、朝木氏が生前、創価学会を厳しく追及していたことから、何らかの陰謀があったのではないかと噂されている。

１９４４年、東村山市に生まれた朝木氏は都立武蔵高校を卒業後、ボランティア活動や市民活動に参加し、１９８７年４月、東村山市議会議員選挙に出馬。最下位ながらも当選を果たし、１人会派「草の根市民グループ」を立ち上げる。市議として税金の使途の監視や職員給与の

不安のない高齢化社会を

あさきあきよ

紀平てい子・中山千夏

応援します

草の根庶民の政治へ改革を!
清潔・平等・誠実な市政へ!
戦争のない社会を
毎週月曜1～2時
「草の根市民政治を語るつどい」

朝木明代氏の選挙ポスター。死亡時、東村山市議会議員の3期目を務めていた

朝木氏が転落死した東村山駅前のロックケープビル

節約、環境問題、ゴミ・リサイクル問題に積極的に取り組み、議会においては行政、市職員や同僚議員の様々な疑惑を繰り返し追及。並行して後に同市議となり政治活動を共にする矢野穂積《やのほづみ》氏と『東村山市民新聞』『くさのね通信』『市役所ミニ情報辛口速報版』などを市内各戸に配布した。

創価学会および公明党への追及に力を注ぐようになったのは１９９３年頃からで、同年６月定例会では、公明党市議を監査委員に選任する案に対し「聖教新聞社と創価学会の関係は?」「聖教新聞社は法人か非法人か?」と市長を問いつめ、一般質問においては、日蓮正宗から破門された創価学会は宗教法人と言えないのではないかと述べ、非課税対象となる宗教法人扱いを続けていることへの疑問を提示。１９９５年には『週刊新潮』２月９日号に朝木明代・矢野穂積両氏への取材を主なソースとした特集記事「創価学会に占領された東村山市役所のゆがみ」が掲載され、並行して『東村山市民新聞』で「公明党・創価学会は政教一致で憲法20条違反」と主張、同年３月の定例会で公明党議員がこれらを非難すると、朝木議員は「弁明すればするほど、かえって自ら立証してみせてくれた。手間が省けた」と反論した。

このように創価学会・公明党の天敵とも言える存在だった朝木氏に思わぬ嫌疑がかかるのは同年６月19日のこと。この日、東村山市内の店で発生した万引き事件の被疑者として、東村山警察署で３回にわたり取り調べを受けたのだ。同氏は万引きのあった時間には同僚の矢野議員と食事をしていたと主張、レストランから受け取ったレシートのコピーを提出するなど一貫して無罪を主張した。しかし、後の裏づけ捜査で、レシートのコピーは後日にレストランに請求して受け取ったコピーであること、朝木氏の供述とレシートの記載内容・レストラン店員の記憶に不整合があることが判明、アリバイ工作を行ったと見なされ7月12日に書類送検される。

死亡事件が起きたのは、その万引き疑惑について地検検事の事情聴取が行われる直前のことだった。1995年9月1日、朝木氏は昼間、矢野氏、支持者らとともに東京都議会事務局で「宗教法人法及び関係税法の抜本改正を求める陳情」を提出するなどした後、担当弁護士と万引き事件について相談。19時15分〜20分頃、自宅方面へ歩く姿が支持者に目撃されている。しかし、21時19分頃、草の根事務所に「気分が悪いので休んでいきます」と本人から電話が入り、それから1時間強が経過した22時30分頃、東村山駅前のロックケープビル裏のゴミ置き場に倒れているのを、ハンバーガーショップの店長によって発見される。通報を受け防衛医科大学校病院に搬送されるも、翌2日午前1時頃に死亡した。

事件を担当した東村山署および東京地検は「転落現場の手すりには外側からつかまったとみられる手の跡がついており、突き落とされた形跡はない。他人が突き落としたとすれば放物線を描いて落ちたはずで、ビルの真下に落ちることはない」「着衣に争った跡がない」「死亡する数時間前から1人で沈んだ様子で行ったり来たりする姿が目撃されている」などを理由に自殺と断定。対し遺族は「9月3日には高知の創価

週刊誌は一斉に事件と創価学会の関連を報じた

特集

東村山女性市議「転落死」で一気に噴き出た「創価学会」疑惑

反創価学会闘士として知られる朝木明代・東村山市議（50）が変死を遂げた。事務所からおよそ百ﾒｰﾄﾙ離れたビルから九月一日夜、転落しているところを発見されたのである。ここのところ、朝木市議の身辺は何者かによる嫌がらせが頻発。翌日には、反創価学会シンポジウムが開かれる高知へ出発する前夜のことだった。この謎の死の周辺には実に不可思議な動きが見え隠れしていた。

「自殺するはずがない」

137

136

学会関係のシンポジウムで講演する予定で、本人の明るい性格からも自殺はありえない」「事務所、自宅ともに遺書はなく、事務所は照明・エアコンがついたままで、やりかけの仕事が中断した状態だった」「事件の2年ほど前から本人や周辺の人物に対する嫌がらせや脅迫があり、一部については創価学会員によることが判明した」などの状況から、朝木氏の死は自殺ではなく謀殺で、創価学会が関与していると主張し、多くの週刊誌がこれに追随する記事を掲載した。

事件は政界、宗教界、マスコミ、遺族などを巻き込んだ一大騒動に発展、その後、転落死をめぐる名誉毀損の裁判が多数開かれ、自殺・他殺が争われた。が、裁判所が出した結論はいずれも自殺。警察・検察も自殺と断定して以降、一切再捜査は行っていない。だが、事件翌年の『週刊新潮』（1996年5月2日・9日号）では「転落死事件の担当検事、その上司にあたる支部長検事が創価学会員だったことが判明した」との記事が掲載されるなど謀殺説は根強く、現在も創価学会が事件に関与したとの疑惑はくすぶり続けている。

神戸市北区小3女子児童ひき逃げ遺体発見事件

仕事帰りの母親を迎えに行った4日後、変わり果てた姿に

２００１年６月７日、兵庫県神戸市北区を流れる有《あり》野《の》川《がわ》で、４日前から行方不明になっていた同区に住む小学校３年生、宮崎《みやざき》早《さ》紀《き》ちゃん（当時８歳）が遺体となって発見された。

早紀ちゃんは両親が離婚したことをきっかけに同区の団地に転居、母親と中学１年生の姉の３人暮らしだった。体型は身長１３０センチと年齢のわりには小さく、同級生の母親によれば「会うと必ず挨拶をしてくれる礼儀正しい子だった」そうだ。

そんな早紀ちゃんが姉に「お母さんを迎えに行く」と告げ、仕事から帰る母親を自宅から５００メートルほど離れた神戸電鉄唐《から》櫃《と》台《だい》駅に向かったの６月３日の22時頃のこと。彼女が夜、母親を迎えに行くのは珍しいことではなく、一緒に帰宅しながらお菓子を買ってもら

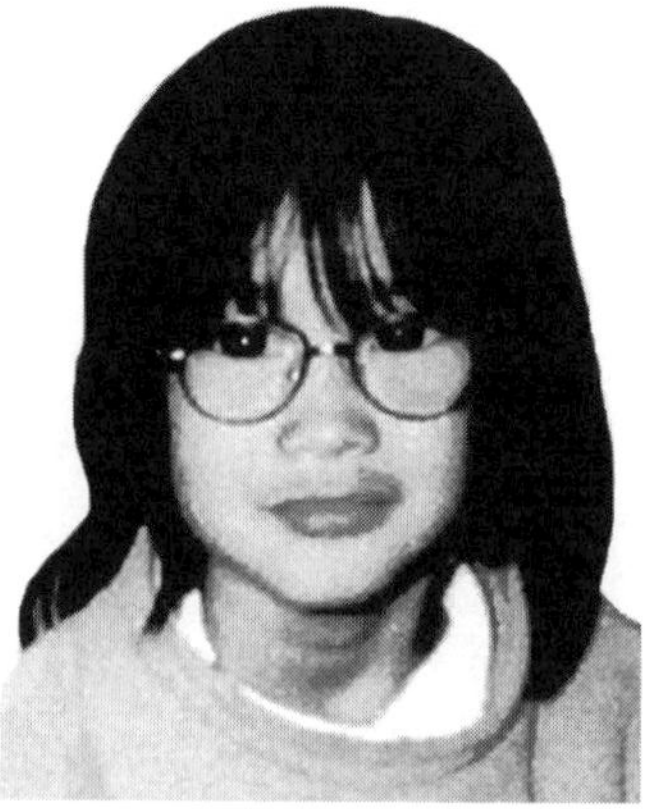

無惨な姿で発見された宮崎早紀ちゃん

早紀ちゃんが母親の帰りを待っていた神戸電鉄唐櫃台駅

ったり、学校の友達のことを話したりするのが好きで、寒い冬の日でも鼻水を垂らしながら駅から出てくる人混みの前で、背伸びをし母親を探している姿がよく見かけられていたという。ただ、実はこの日から母親は職場が変わり、新しい仕事先は通勤に電車を使わない場所だったため知人の車で帰宅することになっていたのだが、そのことを娘たちに伝えていなかった。

そうとは知らない早紀ちゃんが家を出て1時間後の23時過ぎ、駅の改札口で時刻表を見ている姿を近所の主婦が目撃し「何をしているの？　一緒に帰ろう」と声をかけた。いつもより遅い時間だったため主婦は心配になったようだ。しかし、早紀ちゃんは「お母さんを待っている」と答え、その後も改札前に立ち続ける。最後の目撃情報は翌4日午前0時半頃。終電から降りた乗客の1人が早紀ちゃんを不審に感じ交番に連れて行ったものの交番には誰もおらず、ここで待つよう言い残し帰宅した。以降、早紀ちゃんはこつ然と姿を消す。4日14時頃、家族が兵庫県警有馬署に失踪届を提出。警察は懸命に彼女の行方を追ったが、消息を掴むことはできなかった。

それから3日後の7日午前7時55分頃、自宅から北に2・5キロ離れた北区有野町の鉄橋下を流れる有野川の岸辺で、うつ伏せに倒れている早紀ちゃんを電車の乗客が発見した。司法解剖の結果、死因は脳挫傷と判明。上半身には車にはねられたような強い衝撃を受けた傷が見つかり、さらに頭蓋骨を骨折していた。また、遺体発見現場の250メートル上流にある橋の近くの木に早紀ちゃんのものと見られる髪の毛数十本が引っかかっていたことから、何者かが車で早紀ちゃんを轢いた後、この橋から12メートルほど下の川に投げ込んだ可能性が高いこともわかった。

ただ、彼女の遺体には一つ不可解なことがあった。発見時、行方不明になったときと同じ黄色のワンピースを身につけていたものの、上着の緑色のジャンパーと白の運動靴、いつも彼女がかけているメガネが失くなっていたのだ。有野川は普段は流れも穏やかな水深約30センチの川。しかし、行方不明になった後の数日が雨で水深が約50センチに増水していた。そのため警察は遺留品が流されたとみて下流まで捜索したが、早紀ちゃんが身につけていたものは全く見つからなかった。それら遺留品を犯人が持ち去ったとすれば目的は何だったのだろうか。

その後の捜査で、遺体の右手首2ヶ所の骨折と腰の打撃痕な

毛髪が見つかった現場付近

情報提供を求めるチラシ

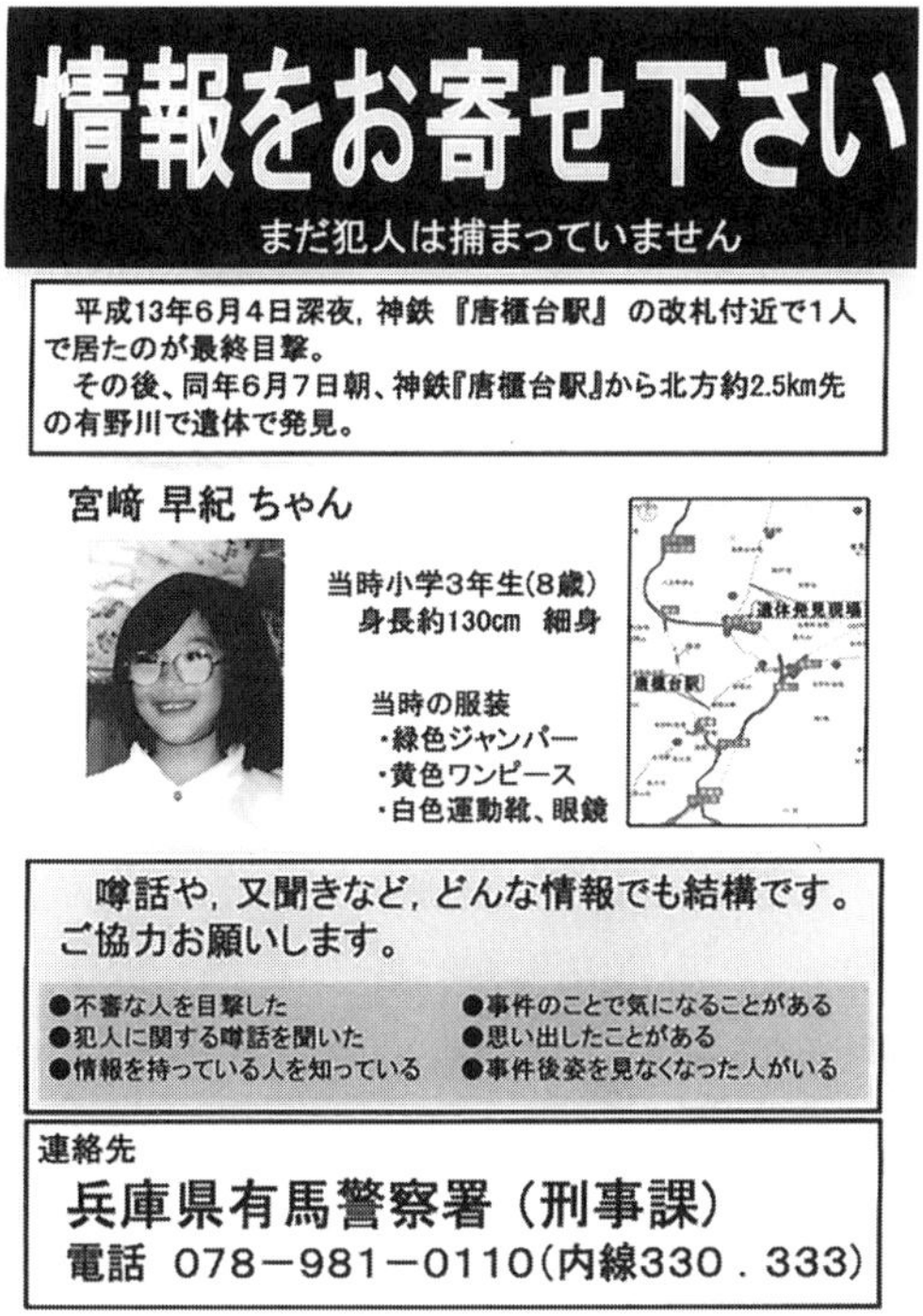
情報をお寄せ下さい
まだ犯人は捕まっていません
平成13年6月4日深夜，神鉄『唐櫃台駅』の改札付近で1人で居たのが最終目撃。
その後、同年6月7日朝、神鉄『唐櫃台駅』から北方約2.5km先の有野川で遺体で発見。
宮崎 早紀 ちゃん
当時小学3年生(8歳)
身長約130cm 細身
当時の服装
・緑色ジャンパー
・黄色ワンピース
・白色運動靴、眼鏡
遺体発見現場
唐櫃台駅
噂話や，又聞きなど，どんな情報でも結構です。ご協力お願いします。
●不審な人を目撃した
●犯人に関する噂話を聞いた
●情報を持っている人を知っている
●事件のことで気になることがある
●思い出したことがある
●事件後姿を見なくなった人がいる
連絡先
兵庫県有馬警察署（刑事課）
電話 078－981－0110(内線330．333)

どから車高の高い車に轢かれた可能性が高いことが判明。さらに、金属製パイプを加工した「カンガルーバー」と呼ばれるオフロード車などに多く装着されているバンパーの車だとわかり、その装着位置は約77センチであることも突き止められた。しかし、雨に流されたせいか事故の痕跡を見つけることはできず、目撃情報もなかったことから早紀ちゃんが事故に遭った場所や時間が特定できないまま捜査は難航した。

やがて、ひき逃げの公訴時効を迎え、警察は殺人容疑で捜査を続けるも手がかりは全く掴めず、現在も事件は未解決となっている。ちなみに、早紀ちゃんの遺体が発見された翌日の2001年6月8日、大阪府池田市で世間を震撼させた「附属池田小無差別殺傷事件」が発生。メディアの報道が集中し早紀ちゃんの事件が注目されなかったことも解決を困難にさせた一因とも言われている。

エリオット・スミス死亡事件

人気ミュージシャンは本当に胸をナイフで突き刺し自殺したのか？

エリオット・スミス（1969年生）は1990年代半ばから2000年代前半にかけ人気を博したアメリカのシンガーソングライターだ。オルタナティヴ・ロックバンド「ヒートマイザー」の一員として活動中の1994年にソロデビュー。1996年にヒートマイザーが解散した後はソロ活動に専念し、1997年の映画「グッド・ウィル・ハンティング／旅立ち」に提供した「ミス・ミザリー」がアカデミー歌曲賞にノミネートされたことで一躍脚光を浴びた。しかし、2000年頃からアルコールとヘロインの依存症となり、その影響で演奏中にしばしば記憶障害に陥り、指の動きもおぼつかなると同時に、しばしば自殺をほのめかす言葉を口にし始める。が、2002年末から神経伝達物質修復センターに通い点滴治療によってドラッグ中毒を克服し、さらには依存していたアルコールや抗うつ薬を断つことにも成功。ちょうど34歳の誕生日を迎えた頃には健康体に戻っていた。

事件は彼が7枚目のアルバムを制作中だった2003年10月21日に起きる。この日の昼間、スミスは同棲中だった恋人女性のジェニファー・チバとロサンゼルスの自宅で口論になった。逃げるようにジェニファーがバスルームに閉じこもってほどなく、スミスの悲鳴が聞こえてきた。驚いた彼女がドアを開けリビングルームに行くと、そこには胸にナイフを突き立て立っていたスミスの姿が。ジェニファーは胸から

エリオット・スミス（右。享年34）と元恋人のジェニファー・チバ

ナイフを抜き取り、911に通報する。しかし、スミスは緊急手術のかいなく病院到着20分後に死亡。ジェニファーの証言や、現場に「本当に悪かったな。愛してるよ。神よ我を許したまえ」というスミス手書きの付箋が残されていたことから、警察は彼の死を自殺と断定する。

しかし、この結論には疑問があった。まず、刺し傷による自殺が極めて珍しいこと（全自殺の1〜2％）。また、スミスの遺体の右腕には攻撃から身を守る際にできる防御創が残っていた。彼が誰かと争ったとすれば、その相手はジェニファーしか考えられない。遺体発見の状況も、彼女の証言だけが全てである。しかも、彼女は救急処置の訓練を受けた経験を持ち、ナイフや鋭利なものを引き抜くと出血死する可能性があることを知っていたはずだったにもかかわらず、そうしたのだ。警察がジェニファーに疑いの目を向けたかどうかは定かではないが、巷では彼女に「未必の故意」があったとも噂されている。

南相馬市高3女子失踪・遺体発見事件

元彼氏が自殺した後、東日本大震災が発生し…

2011年2月19日18時頃、福島県南相馬市《みなみそうま》に住む県立相馬農業高校の3年生、清水沙也香《しみずさやか》さん（当時18歳）が父親に「（1年前に知り合った年上の）彼氏に会いに行く。すぐに戻る」と言い残し自宅を出た。このとき沙也香さんは財布を持つこともなく、フード付きのジャンパーにスウェットシャツ、サンダルという軽装だったそうだ。しかし、22時を過ぎても彼女は戻らず、心配した母親が交際相手のA（同24歳）に電話をかける。と、Aは驚いた様子で「沙也香さんに別れを切り出され、話し合いのうえ別れることになった。車で自宅まで送り20時30分頃に降ろした」と答えたため、今しばらく帰りを待つことにしたが、その後も沙也香さんが戻ることはなかった。

清水沙也香さん。年上のボーイフレンドと別れ話をした後、行方不明に

地震による津波が引いた直後の南相馬市内

沙也香さんは学校でバスケットボール部に所属し、皆のまとめ役、高校卒業後は地元の会社への就職が決まっており失踪する理由は何一つなかった。そこで家族は21日午前、警察に捜索願を提出。県内一帯で捜索が開始されるとともに、最後に会っていたAも事情聴取を受けたが彼は失踪との関与を否定、特に不審な点はなかったという。しかし、捜索願が出された翌日の22日、すでに別れていたにもかかわらず沙也香さんの失踪に責任を感じていたのか、Aは彼女の両親を自分の車に乗せ、沙也香さんの携帯電話の電波状況を調べるため、福島市の電話会社を訪ねる。結果、沙也香さんの携帯は19日までは繋がっていたものの20日以降は電源が切られていることが判明した。

その日は帰りが遅くなったこともあり、Aは沙也香さんの自宅に泊まり彼女の部屋で就寝。翌日、沙也香さんの日記を手にしながら「貸してほしい」と言ってきたため、両親はこれを許可する。ただ、このとき母親はAに不信感を抱いていた。実は前日の夜、ファミレスで食事した際、Aの手の甲に複数の引っかき傷があることが判明した。沙也香さんがケンカをした際、相手を爪で引っかく癖があることを知っていた母親は、その傷も2人の間で起きた争いで生じたものではないかと疑い問い質したものの、Aは「アトピーによるもの」と説明。沙也香さんの失踪についても改めて否定したそうだ。

予想もしない事態が起こるのは、Aが沙也香さんの自宅に泊まった翌日2月23日夕方のことである。南相馬にあるAの自宅近くの海岸で、A所有のワゴン車が全焼しているのが発見された。さらに2日後の25日、海岸の近くにある水門で、沙也香さんとお揃いのパーカーを着て首吊り自殺しているAの姿が見つかる。このことから、Aが沙也香さんの失踪に関与した事実の発覚を恐れ、証拠隠滅のため車を燃やしたうえで自ら命を絶ったとの見方が浮上した。

Aが自殺したことで沙也香さんの身がますます不安視されるなか、警察は3月3日、公開捜査に踏み切り、南相馬市の市街地や海岸周辺を中心に90人体制で捜索を続ける。そして8日後の3月11日、東日本大震災発生。多くの人々が津波で命を失い、その中には海岸で沙也香さんの行方を探していた警察官2人も含まれていた。

1ヶ月後の4月18日、震災による行方不明者の捜索が行われる過程で、沙也香さんの自宅から南に約10キロ先の南相馬市小高区内の海岸から約数百メートルほど離れた沼地の瓦礫の下から1人の女性の遺体が発見された。損傷が激しかったことから遺体は身元不明の扱いとなり、警察による検死とDNA採取の後、

沙也香さんの遺体が見つかった場所などを表した図（出典：mainichi.jp）

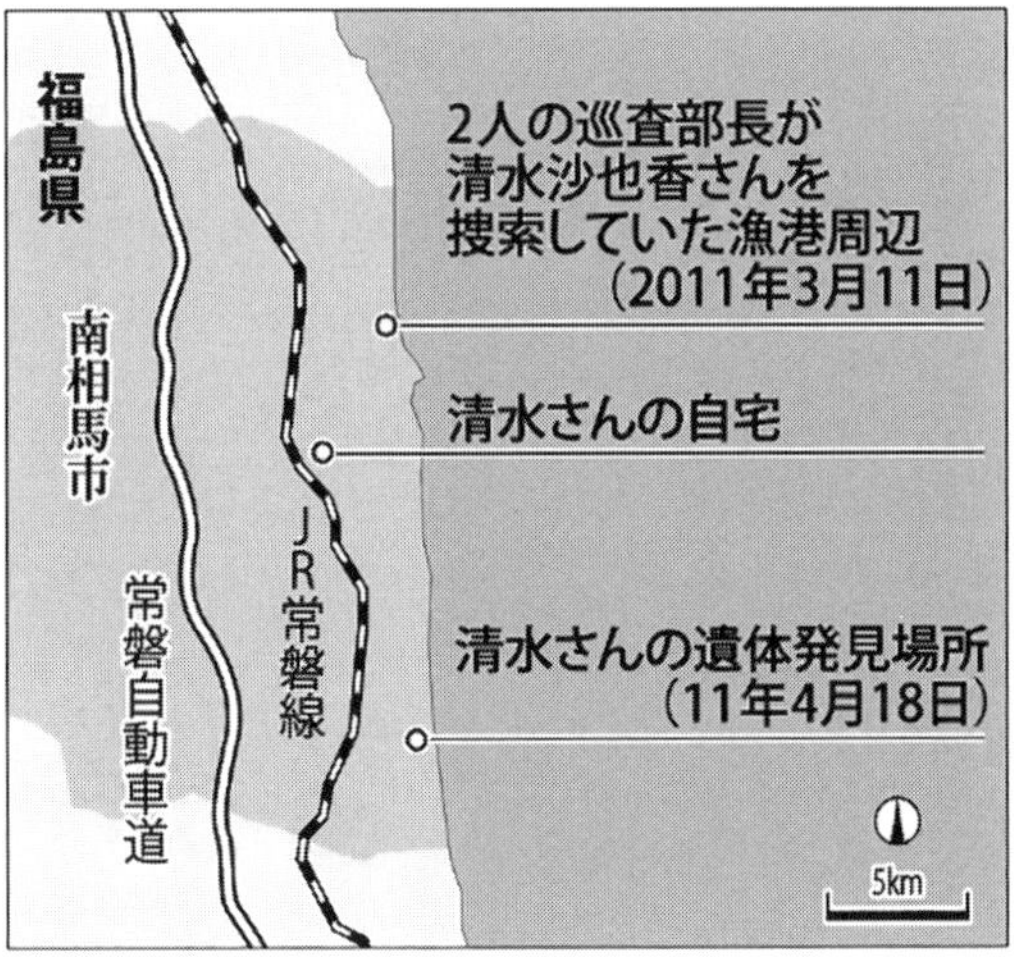

南相馬市内で火葬される。

一方、沙也香さんの両親は震災後も自宅を離れず、娘が無事に返ってくることを祈りつつ南相馬市のホームページに掲載されている身元不明の遺体情報を確認していた。すると4月18日に見つかった遺体の特徴が沙也香さんに似ていることに気づき、問い合わせのうえＤＮＡ鑑定を依頼。５月６日に遺体は沙也香さんであることが判明した。

ただ、沙也香さんの遺体は医師による検死の結果、死因は溺死、死亡推定時刻は３月11日16時頃との検案書が作成されていたことから、彼女は津波による犠牲者の１人と結論づけられていた。これに納得いかない両親は改めて検死を依頼。その結果、死亡推定時刻は２月中旬〜３月中旬頃、死因は不詳との報告がなされた。ちなみに、警察は遺体に事件性を疑う痕跡がなかったため、司法解剖はしなかったと説明している。

果たして、沙也香さんは津波にのまれ死亡したのか、それともＡに殺害・死体を遺棄されたまま見つからず震災で発見されたのか。真相は闇の中だ。

茨木市高3女子怪死事件

彼女が高さ30メートルのクレーンから転落死した理由

2016年4月14日午前6時20分頃　大阪府茨木《いばらき》市松下《まつした》町にある工場跡地で、男性作業員から「若い学生風の女性が倒れている」との110番通報があった。現場は、JR茨木駅から北東に約1・5kmの地点で、住宅や工場などが密集する地域の一角。ここには以前、松下電器産業（現パナソニック）のテレビ工場があったが、大和《ダイワ》ハウス工業に売却されたことから建物の解体工事が行われており、現場の周囲は高さ約1メートルのフェンスで囲まれていた。

警察や救急が現場に駆けつけたところ、制服を着た高校生とみられる少女が鉄板の上でうつぶせの状態で倒れており、その場で死亡が確認された。約8メートル先には高さ30メートルまでアームを伸ばしたクレーン車、さらにそこから約150メートル先に学生用のカバンが置かれ、中から財布やカード類が見つかった。その後、本人が所持していた学生証から遺体は同市内に住む高校3年生Aさん（当時18歳）と判明。腰付近を骨折しており、口から出血していたものの刺し傷や首を絞められた痕はなく、着衣に乱れもなかったことから、警察は自らクレーンに登り転落した可能性が高いと推定した。

その後の捜査で、Aさんは事件前日の13日夕方、母親に「体調が悪いので今から帰る」とメールしていたが、夜になっても帰宅しなかったため、同日夜に父親が警察に相談していたことがわかった。また、現

事件を報じるANNニュース

場で働く作業員によると、13日17時頃に作業を終えた際には特に異常はなかったとされているため、Aさんの死亡推定時刻は13日夜～14早朝にかけてとみられている。

事件が発覚した当初から、Aさんが自殺したとする警察の見立てには疑問の声が多く上がった。まず、本人の遺書がなかった。自ら死を選んだとしても、なぜわざわざ高さ1メートルのフェンスを乗り越えてまで工場跡地を選んだのか。ましてや、高さ30メートルにも及ぶクレーンのアームを自力で登るという行動はあまりに不可解である。こうした状況から、何者かが彼女を殺害した後、自殺にみせかけるため偽装工作したのではないかとの憶測も流れた。が、遺体に他殺の痕跡が一切なかったことも事実。Aさんには学校でいじめを受けていたとの噂もあり突発的に自殺を図った可能性はあるものの、彼女がとった手段はやはり異常というよりない。

ブラリ事件

一家11人のうち10人が首を吊って死亡したインドの怪奇ミステリー

その事件は2018年7月1日朝、インド・デリー北部のブラリのサント・ナガル地区で食料品店と合板業を営むバティア一家が暮らす二階建て住宅で発生した。普段なら朝5時には始業している店がその日は朝7時になっても開かず、心配した常連客や近隣住民が電話をかけたものの誰も出ない。玄関のドアは施錠されておらず、呼びかけにも応答なし。いよいよ不審を覚えた隣人たちが中に入ると、階段を登った住居スペースに異様な光景が広がっていた。バティア一家全11人のうち10人が首を吊り死んでいたのだ。そのうち9人は円を描くように並び、そこから少し離れた場所に1人。全員が目隠し、テープで口を塞がれ、両手は後ろ手に縛られており、天窓の格子から色とりどりの布で吊るされていた。さらに別の部屋で、やはり目隠しをされ首に絞められたような痕を残

現場の様子を捉えた画像や映像は瞬く間にネット上で拡散された

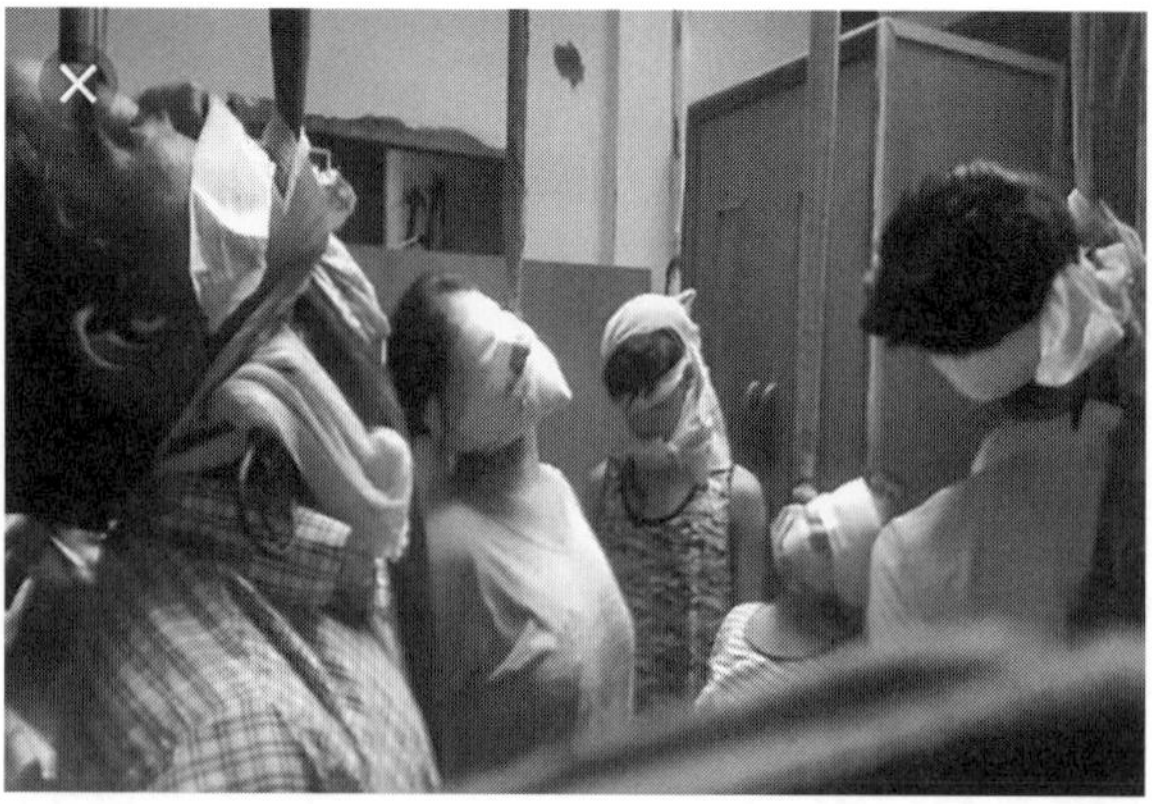

事件のあった住宅と、屋内に入る捜査官

し死亡している、一家の母ナラヤニ（当時80歳）の遺体が見つかった。首を吊っていたのはナラヤニの娘プラティバ（同57歳）、息子ブブネシュ（同50歳）とラリット（45歳）、プラティバの娘プリヤンカ（同33歳）、ブブネシュの妻サビタ（同48歳）とその子供3人、ラリットの妻ティナとその子供1人。80歳の老人から15歳の子供まで3世代11人の家族があまりに奇怪な死を遂げた事件はすぐに警察に届けられたが、捜査員が現場に到着する前に、現場を撮影した映像がインターネット上にアップされたことで事件は瞬時に世間に広まり、現場周辺には数千人もの野次馬が集まる大騒動へと発展。メディアは「恐怖の家」とセンセーショナルに事件を報じた。

警察の捜査や司法解剖により、一家は自殺したものと推定された。しかし、ナラヤニたちとは別に住んでいた兄弟たちや一家の友人らは、バティア一家は全員が仲良く、自殺など考えられないと主張。実際、事件の直前にはプリヤンカの婚約披露パーティが大々的に行われたばかりだった。

殺人の可能性も疑われるなか、警察が事件の謎を解く鍵を見出したのは、現場から発見された11冊の日記だった。11年にわたり書き留められていた日記には日常的なことから仕事、投資先まで家族のあらゆることを指図する内容が記されており、事件直前には亡き父親の霊を呼び戻すための「儀式」についてのメモがあり、それこそが一家が集団自殺に至った直接の要因と推定された。

かつて、一家は事件の約20年前にハリヤーナー州トハナにある生まれ故郷からブラリに移住したナラヤニの夫ボパル・シンが取り仕切っていた。が、ボパルは事件の11年前の2006年に死亡。その後、バラバラになりそうだった家族をまとめたのが次男ラリットだった。彼はもともと冷静で賢い男だったらしいが、家族がラリットを強く信じたのは別の理由があった。亡くなったボパルの霊がラリットに降臨し、生前のような声や態度で一家に指示を与え始めたからだ。家族は父親の霊がラリットを通してメ

全員が死亡したバティア一家。後列中央のメガネの男性が、亡き父の言葉を受け家族に指示を出していた次男ラリット

ッセージを伝えていると信じ、その言葉に従った。いわば家庭内宗教である。もっとも一家は決して無学ではなく、ラリット夫妻は大学を卒業、プリヤンカは大学院で学び大企業に勤務していた。孫世代は当然のようにパソコンやスマホを使う現代の人間だ。しかし、そんな彼らでさえ「ボパルの言葉」は絶対だったようだ。

日記には、儀式で首を吊っても父親の霊が助けてくれるとの記述があり、目隠しや手の拘束などについても具体的に指示されていた。一家はそれに従順に従った。ただ、子供たちは口に布を押し込まれていたというから、儀式は半ば強制的に実施された可能性が高い。また、高齢の母親だけが別室で倒れていたのは、彼女が自分の足で立てない状態だったため家族の誰かが首を絞め殺害したものと思われる。

ネットフリックス配信の「ブラリ事件：11人家族集団死の真相」では、行き詰まりと終焉を予感したラリットがこの集団自殺を計画した可能性を指摘している。きっかけは自らが関わったプリヤンカの婚約で、外部の人間、つまりプリヤンカの夫が家族に加わることで、家庭内の異常な状況が白日のもとにさらされてしまうのではないかと恐れたのではないかというのだ。また、ラリットが過去に巻き込まれた事故や事件（火事を装って殺されかけ、その後数年間ラリットは言葉を一切発しなかったという）のトラウマの影響も指摘されている。一家が全員死んだ今、真相は不明のままだ。

屋内から見つかった日記の一部

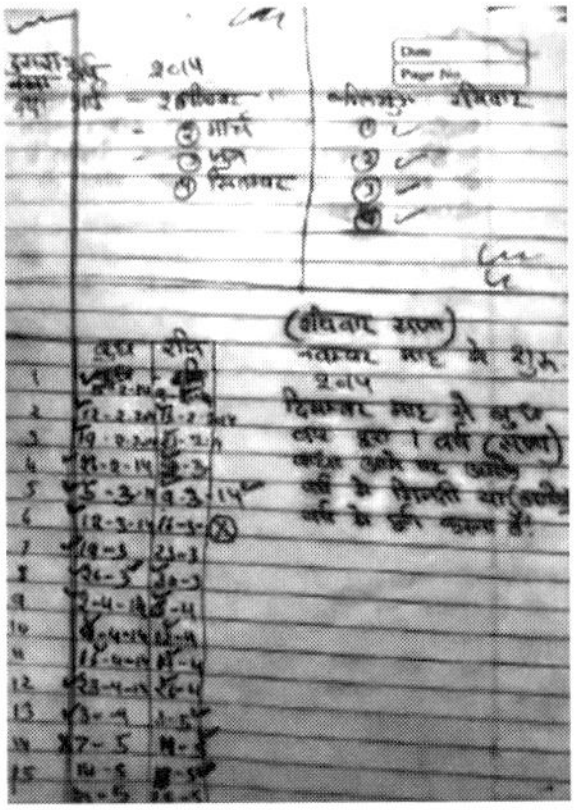

荒川区東尾久和菓子店娘殺害事件

巷で噂される親子の〝特別な関係〟が事件の原因か？

2019年7月7日の深夜、東京都荒川区東尾久《ひがしおぐ》4丁目の和菓子店「菓匠《かしょう》 木津屋《きづや》」で、近所に住む女子大生、木津いぶきさん（当時18歳）が店内の冷蔵庫の中から下を向き膝を抱えるような姿で何者かに首を絞められ死亡しているのが見つかった。その約4時間後、さいたま市内の河川敷で和菓子店の経営者で、いぶきさんの父親であるH（同43歳）が木に首を吊って死亡しているのが発見される。Hは7月6日夜、いぶきさんの殺害をほのめかす電話をかけており、警察は親子間で何かしらのトラブルがあり、それが原因で父親が娘を殺害した後、自殺を図った可能性が高いとみて、殺人・死体遺棄事件として捜査を進めた。しかし、その後の捜査でも父親がいぶきさんを殺害した決定的な証拠は掴めず、最終的に容疑者死亡で書類送検となり、事件は多くの謎を残

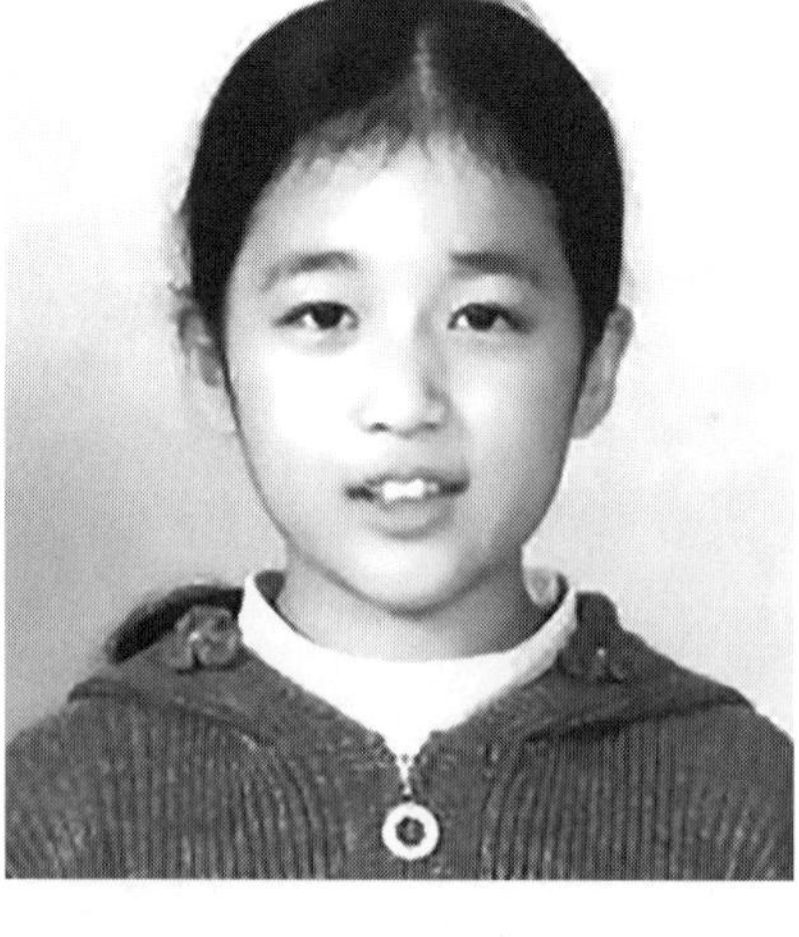

冷蔵庫の中で殺害遺体で見つかった木津いぶきさん

事件現場となった和菓子店「木津屋」。
明治神宮にも献上する羊羹が美味しいと評判の店だった

したまま幕を閉じている。

遺体となって発見されたいぶきさんは、現場の和菓子店から徒歩約10分のマンションに、父親と母親、弟の4人で暮らしていた。事件発覚前日の7月6日、父親が店を開けるためオートバイで自宅を出発した1時間後の午前8時頃、アルバイト先のピザ店に向かうため家を出ているが、なぜかバイト先には行かず無断欠勤したことが明らかになっている。

同日16時半頃、父親から「今日は仕事が終わった」と自宅にいる妻へ電話が入った。が、普段は18時頃に店を閉めており、なぜその日、閉店を早めたのかはわかっていない。2時間後の18時半頃、父親から再び自宅に電話が入り、「手首を切って死ぬ」「川に沈んで死ぬ」などと話したため、その内容に驚いたいぶきさんの弟が「お父さんが自殺しようとしている」「お母さんが必死に止めている」と警察に通報。その後、母親はすぐに和菓子店に駆けつけたが、すでにシャッターは閉まっており、父親のオートバイも店先になかった。19時過ぎ、母親が警察に届け出たのと時を同じくして自宅にいた弟から連絡があり、父親から「娘を切った」「死にたい」と再び電話があったことを母親に伝えた。そして、日が変わった7日午前0時50分頃、和菓子店を捜索した捜査員がいぶきさんの遺体を業務用冷蔵庫（幅約140センチ、奥行約73センチ、高さ約85センチ）の中で発見する。父親とは3度目の電話以降連絡がつかなくなっていたが、同日午前2時頃、自宅から30キロほど離れたさいたま市岩槻《いわつき》区内でオートバイが見つかり、さらに4時45分頃、首吊り遺体発見。その後、和菓子店から父親が書いたとみられる「2人で死のうと思う」などと無理心中をほのめかす文言が記されたメモが見つかった。

Hは10代から10年以上、北陸地方の和菓子店に住み込みで修行。真面目な仕事ぶりに出入り業者が荒川区の和菓子店主が高齢で店を閉じるので居抜きで独立したらどうかと声をかけ、「木津屋」を開業した。私生活では一度結婚に失敗していたが、2005年頃に別の女性と再婚。彼女もまた離婚経験者で、その連れ子がいぶきさんと弟だった。店は繁盛し経営は順調だった。しかし。事件の数年前から父親は閉店後にアルバイトをしており、その理由は借金の返済のためだったようだ。事件の数日前にも店に取り立てに来た人間と口論している姿を目撃され、7月6日16時頃に70代の知人男性が会った際には、ひどく暗い表情で目も合わせなかったという。自宅に自殺を匂わせる電話をかけるのはその直後のことだ。

一方、いぶきさんは埼玉県にある私立の中高一貫校に進学したものの、成績が上がらないと父親が怒り、時に手を出されたこともあったという。高校卒業後は公立大学の看護・福祉系学部に進学。ピザ店でアルバイトをしながら学校に通っていたが、奇妙なことに、父親のアルバイト先も娘と同じピザ店だった。このいかにも不自然な状況もあいまって、事件後、捜査関係者の間で一つの噂がささやかれる。それは父親Hと娘のいぶきさんが〝特別な関係〟にあったとするもので、近隣住民によれば、いぶきさんが高校生だった頃から父親と手を繋いで歩く姿が幾度か目撃されており、事件の3日前にも2人の姿を見た知人男性が「そんなこと、よくできるな。恥ずかしくないのか」と諫めても、父親は意に介さない様子だったという。こうした証言から、メディアでも2人のいびつな関係が報道されるなか、警察は事件当日に父親が娘に肉体関係を迫り、それが2人の死に直接関係した可能性があると慎重に捜査を進めたとされているが、この件に関して正式な発表はない。

父親がいぶきさんを殺害した後、自殺を図ったことは間違いない。その動機は父親が残していたメモから推察するに、やはり2人の間に共通の悩み、具体的にはいぶきさんが父親との男女関係を断ち切ろうとして揉めていたと推測するのが自然と思われる。もっとも父親が自殺した以上、真相が解明される日は来ないだろう。

いぶきさんと父親が死亡していた場所（東京新聞より）

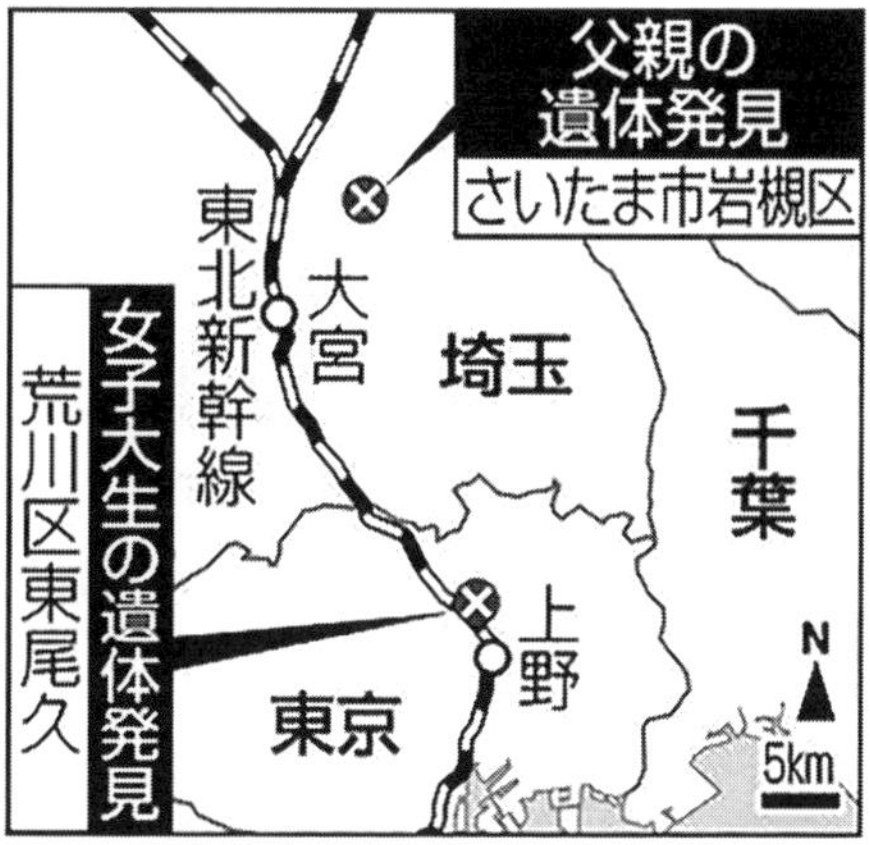

第5章

怪現象

世界に存在する「双子村」の怪

ブラジルの村ではナチスの〝死の天使〟メンゲレが起因とする説も

双子が産まれる確率は約1％。約100人の母親に1人の割合だ。これは不妊治療で授かるケースも含めており、自然妊娠では0・6％程度である。対し、不思議なことに世界にはその何倍もの確率で双子が産まれる地域が存在する。

インドの南端ケーララ州にあるコディンヒ村は、2014年時点で人口約2千人に対し220組（440人）が双子である。その出生率は驚異の11％だ。世界の中で双子が産まれる確率が低いとされるアジアで、なぜコディンヒ村だけが突出しているのか。この原因を追求するため多くの学者が遺伝、生物分子、気象要因などを分析したものの特に異常はなし。村人たちの食べ

コディンヒ村の双子たち。
住民間でも見分けがつかないという

物や飲み物、習慣なども他地域と同様である。もちろん、汚染物質も検出されておらず、さらに多胎妊娠率が高くなる人工授精や他の不妊治療も、それに要する費用を払うには同村民の暮らしは貧しく要因にはなりえないという。

調査によれば、村で双子が産まれるようになったのは60～70年程前からで、ここ10年でより増加しているそうだ。さらに不思議なことに、この村出身の女性は他地域に嫁いでも、通常よりも明らかに双子を産む率が高いという。

南米にも同じような地域がある。ブラジル南部のリオグランデ・ド・スル州にある人口約6千500人のカンディド・ゴドイ。この町では2014年時点で90組の双子が暮らしており、中でもリニャ・サン・ペドロという地域の双子は実に44組。1959年から2014年の間に、同地域で産まれた子供の35％が双子だった。この不思議な現象の要因として唱えられているのが、ナチスドイツの医師で残虐非道な人体実験を繰り返し〝死の天使〟と呼ばれたヨーゼフ・メンゲレに起因するとする説だ。メンゲレは戦争犯罪から逃れるため1949年に南米に逃亡。約10年間、アルゼンチンのブエノスアイレスに潜伏した後、1960年代初頭から身元を偽りカンディド・ゴドイという町で暮らし始めた。が、その研究意欲は衰えておらず、「アーリア人化」計画を進めるべく現地の女性に薬や注射を使った人体実験を敢行。その結果、カンディド・ゴドイでは「アーリア人的特徴」を備えた双子が次々に生まれることになったというのだ。しかし、メンゲレが1979年に67歳で死亡して以降も、この村では双子が多く産まれているため、メンゲレが直接関係していた可能性は薄いとの見方も強い。

もう一つ、原因とされるのが「創始者効果」と呼ばれる遺伝子学的仮説に基づいたものだ。カンディド・ゴドイの住民に対して入念に行われた遺伝子研究によると、この村の住民の大半がごく少数の男性を共通の先祖にしており、多くの遺伝的特徴を共有しているのだという。具体的にはＴＰ53という遺伝子が双子の多産に影響し、双子を妊娠した43人の女性がこの遺伝子を持っていたとの研究報告もあるそうだ。とはいえ、２つの要因はあくまで仮説。なぜ、異常なまでに双子が産まれる村が存在するのか、その真相はわかっていない。

ブラジルのカンディド・ゴドイではアーリア人的な特徴を持った双子が数多く産まれており、その原因はナチスドイツの医師、ヨーゼフ・メンゲレ（右）の人体実験による結果とする説もある

日航ジャンボ機UFO遭遇事件

機長の勘違いか、何らかの秘密実験か

1986年11月17日、パリ発アンカレッジ経由東京行きJAL1628便、日本航空のボーイング747－246F貨物機が米アラスカ州のフェアバンクス上空の高度約1万メートルを飛行中に、両端にライトを点灯させた巨大な母船型UFOに遭遇した。同機に搭乗していた寺内《てらうち》機長によれば、「UFOは自機の3～4倍の球形で、1時間弱の間、旋回して逃れようとした自機と併走するように移動していた」そうで（副操縦士は「光は見たが、機長の言うような形には見えなかった」と証言している）、機内の気象レーダーにもはっきりと映っていたが、通常の金属反応なら赤く映るはずなのに、このときはなぜか雲のような緑色の透明状のものだったという。その後、UFOはJAL1628便がアラスカ行きのユナイテッド航空69便と行き違ったところで反転して今度はユナイテッド機の追尾を開始、同機がアラスカに着陸すると消失したのだという。

しかし、ユナイテッド航空機は、そのような事実はないと機長の証言を否定。地上の

UFOに遭遇したとされるボーイング747の同型機

レーダーにも何も捉えられていないことがFAA（アメリカ連邦航空局）により確認されており、地上レーダー管制との会話で管制局から「レーダー上には何も見えない。調査のため空軍機の飛行を依頼するか」との提案があったものの、寺内機長はこれを断ったという。その理由について機長は後に「非常に高度に発達した未確認飛行物体になんらかのアクションを仕かけるのが危険と判断したため、その旨を伝えた」と語っているが、当時の交信記録に機長の言うような会話は残されていなかったそうだ。

事件は寺内機長がその詳細を共同通信社に勤務する友人に話したことから、当時日本をはじめとする各国のテレビニュースや全国紙、週刊誌などで大々的に報道されることになる。が、その直後に「UFOではなく惑星を見間違えたもの」とする解釈や、副操縦士との証言の食い違い、また機長が共同通信の友人に話したときバーで酩酊したとの報道がなされたことで、しだいに信憑性が薄まり、やがて「機長の錯覚」として人々の記憶から忘れ去られてしまう。

UFO遭遇事件から15年後の2001年、かつてのNASA関係者や退役軍人、政府関係者、航空メーカーの技術者などが『ディスクロジャープロジェクト』というUFOや宇宙人に関する情報公開を目的とした記者発表会をワシントンDCで開催し、本件についてFAA職員で事件当時を含む1981年～1988年にかけて事故調査部長だったジョン・キャラハンより、寺内機長の報告を裏づける証言がなされた。それによれば、日航機がアラスカ上空で遭遇したUFOは実際にレーダー上で確認され、機長の要請に呼応する形でFAAがレーダー追跡し管制対応と記録を行っていたという。その後、事件がマスコミに漏れて騒ぎにな

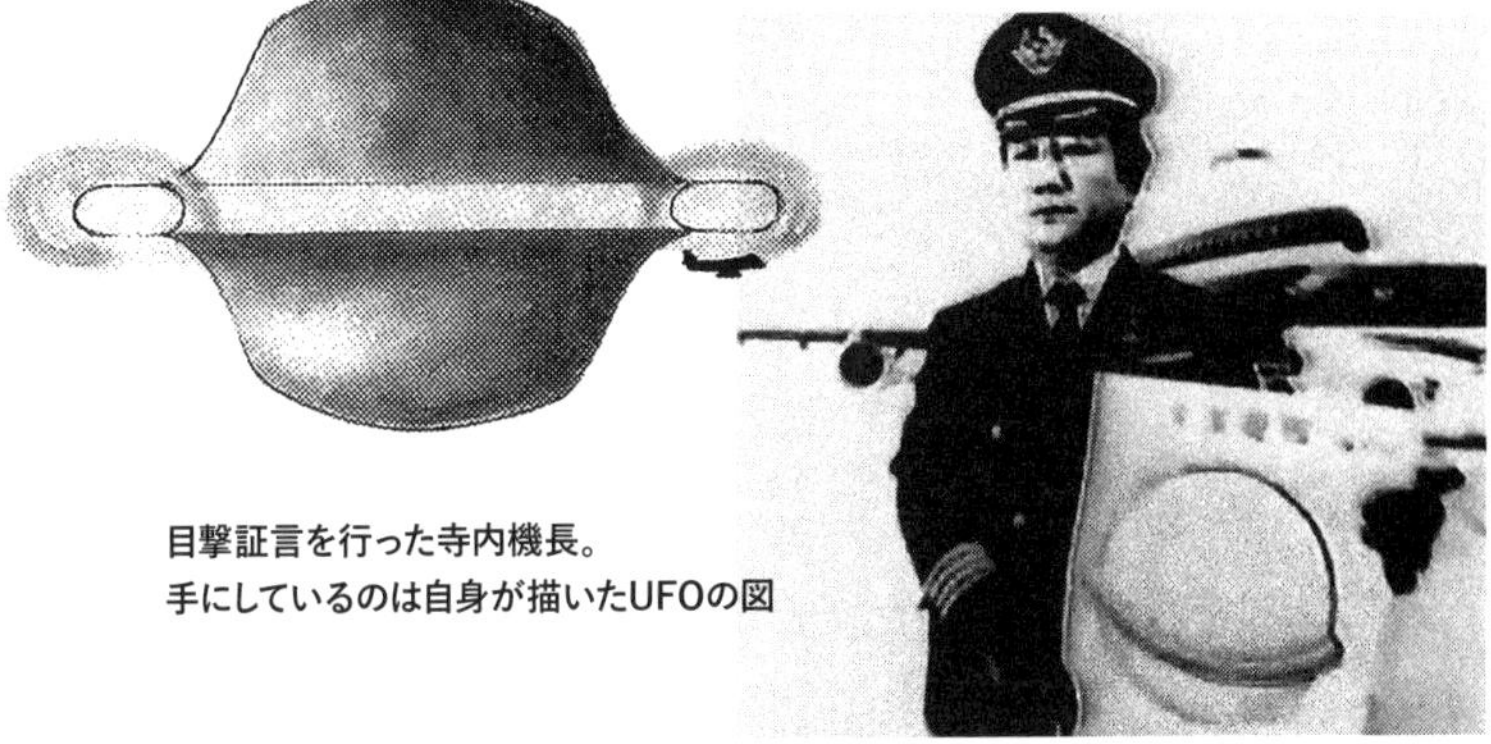

目撃証言を行った寺内機長。
手にしているのは自身が描いたUFOの図

ったことから、ＦＡＡのアンカレジ支部は業務に支障を来たし、事件翌々月の１９８７年１月、その対応をキャラハンが率いる事故調査部に一任。キャラハンは全ての資料と記録をＦＡＡの技術センターに移送させ、模擬管制室を用意して録音やデータを元に管制経過をリアルタイムで再現したそうだ。これに立ち会って内容を把握したキャラハンが当時のＦＡＡ局長に再現時のレーダースクリーン状況を録画したビデオを見せた結果、局長の働きかけで、ＦＢＩ、ＣＩＡ、および当時のアメリカ大統領ロナルド・レーガン直属の科学調査班が召集され、キャラハン他22人のＦＡＡ職員を含めた報告会議が開かれる。キャラハンによれば、会議の終わりに参加者全員に対してＣＩＡから箝口令《かんこうれい》が敷かれ、公式には本事件は存在せず、この会議も開催されなかったことにされたという。にわかには信じがたい話だが、キャラハンによれば、このとき、ＦＡＡが会議に提出した資料やレーダー記録などはＣＩＡらにより全て持ち去られたものの、ＦＡＡ側は他にも報告書や録音テープ、再現状況録画ビデオの原本等を保有しており、後にキャラハンらはこれらの一部を公表。しかし、レーガン大統領がマスコミに圧力をかけ表に出なかったそうで、巷ではアメリカのＨＡＡＲＰ（高周波活性オーロラ調査プログラム）による何らかの秘密実験との関連を指摘する説もある。果たして、真相やいかに。

岐阜県富加町「高畑住宅」のポルターガイスト現象

怪音、超常体験、霊出現の情報が頻発。マスコミを巻き込む一大騒動に

1998年、岐阜県富加町《とみかちょう》に4階建ての公営団地「高畑住宅」が建設された。辺りに何もない閑静な田園地帯ながら家賃が3万円程度だったことから若い世代を中心に入居希望者が殺到、完成後わずか1ヶ月で24部屋全てが埋まる。

怪現象が起こり出すのは全世帯が入居を終えた1999年4月頃だ。最初は一部の世帯で天井から何かを引くような異音が聞こえる程度だった。が、そのうち壁から「ギシギシ」ときしむような音、「ドーンドーン」とハンマーで叩くような音が昼夜問わず鳴り出し、多くの住民が悩まされるようになる。

こうした怪音だけではなく、2000年のお盆辺りからは説明不可の超常現象が高畑住宅を襲う。シャワーや水道から勝手に水が流れる、テレビのチャンネルがいきなり変わる、コンセントの抜けたドライヤーが動き熱風が吹き出る等々。中でも最も被害の多かった404号室では食器棚のガラス扉が突然開いたり、平積みの皿が隣の部屋まで2メートルほど飛んだり、茶碗が刀で切断されたように正確な長方形で割れたこともあったという。また、101号室では「シャッ」とカーテンを開く音がしたので見にいくと、

事件現場となった高畑住宅と、騒動を報じる2000年10月13日付けの中日新聞

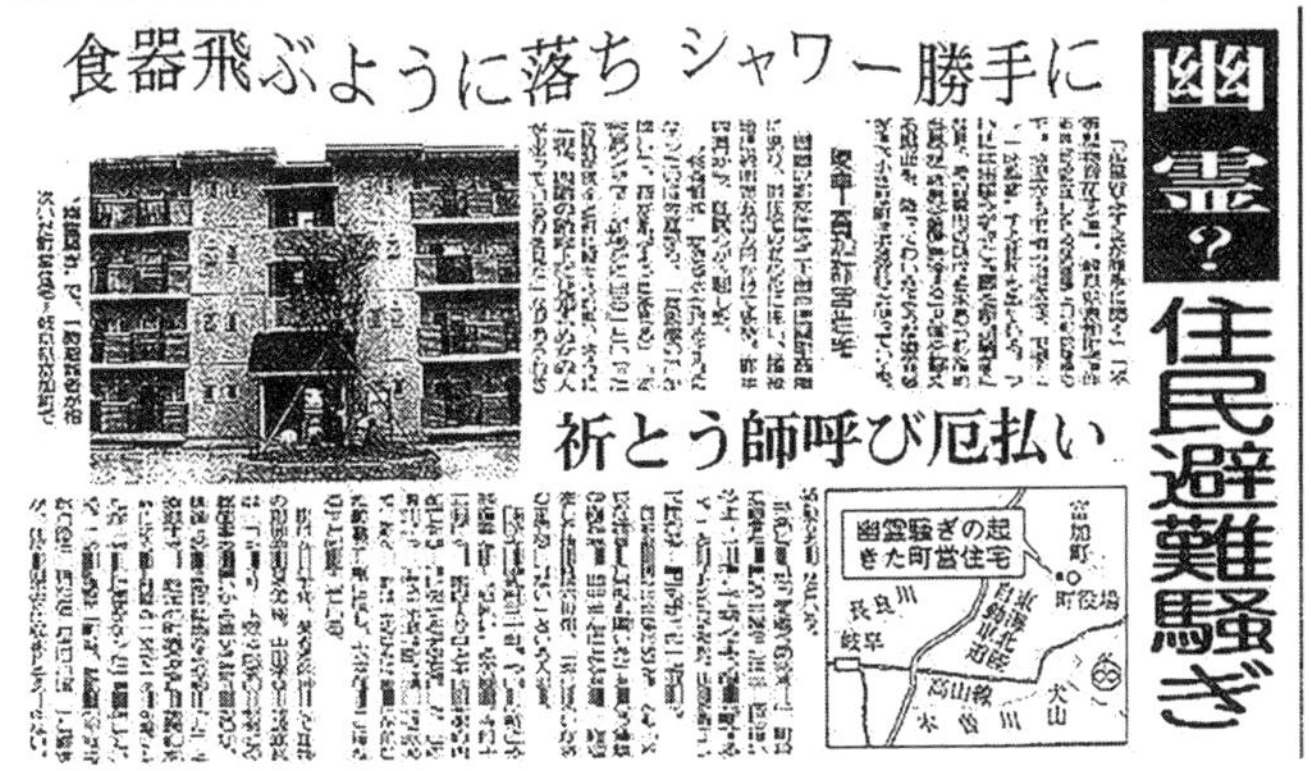

幽霊？ 住民避難騒ぎ

食器飛ぶように落ち シャワー勝手に

祈とう師呼び厄払い

誰も触れていないカーテンが4段階に分けて徐々に開いていったそうだ。

さらに高畑住宅では、幽霊の目撃談も相次だ。特に白い服を着た30代くらいの女性を見たという証言が多く、その霊は部屋の中、階段の踊り場、非常口、屋外の駐輪場などに出現。他にも各部屋のベランダで白い影のようなものが動いた、深夜の階段に黒い髪の女性がいた、窓の外に落武者の首が浮遊していた、3歳児が襖を開けたらおじいちゃんが座っていたとなどの目撃情報が寄せられ、高畑住宅は24世帯のうち10世帯が早々に引き払うという事態に発展する。

一方、当時の自治会長のもとへは連日のように住民から相談が寄せられており、困り果てた会長が町役場に事情を話した結果、建設課職員や施工業者が現地に出向き調査

することに。が、職員らは「確かに不思議な音を聞いた」と事実を認めたものの原因がわからず具体的な対策は講じなかった。役所はあてにできないと業を似やした会長や住民は話し合いを持ち、怪現象は団地近くにある墓所の霊道が原因ではないかとの推論に立ち、2000年10月に祈祷師を呼び祓いの儀式を実施。さらに「団地の広場の中央辺りに約30年前に首を吊って死んだ女性の霊がいる。全てはその女の祟り」という祈祷師のお告げ（実際、27年前に団地の入り口付近で幼子を持つ母親は首吊り自殺していた）に従い、御影石の慰霊碑を建て女性の霊を供養する。が、その後もポルターガイストや霊の目撃証言が途絶えることはなかった。

『週刊プレイボーイ』の誌面に掲載された、記者が実際に目撃したとされる玄関前に現れた老人男性の霊

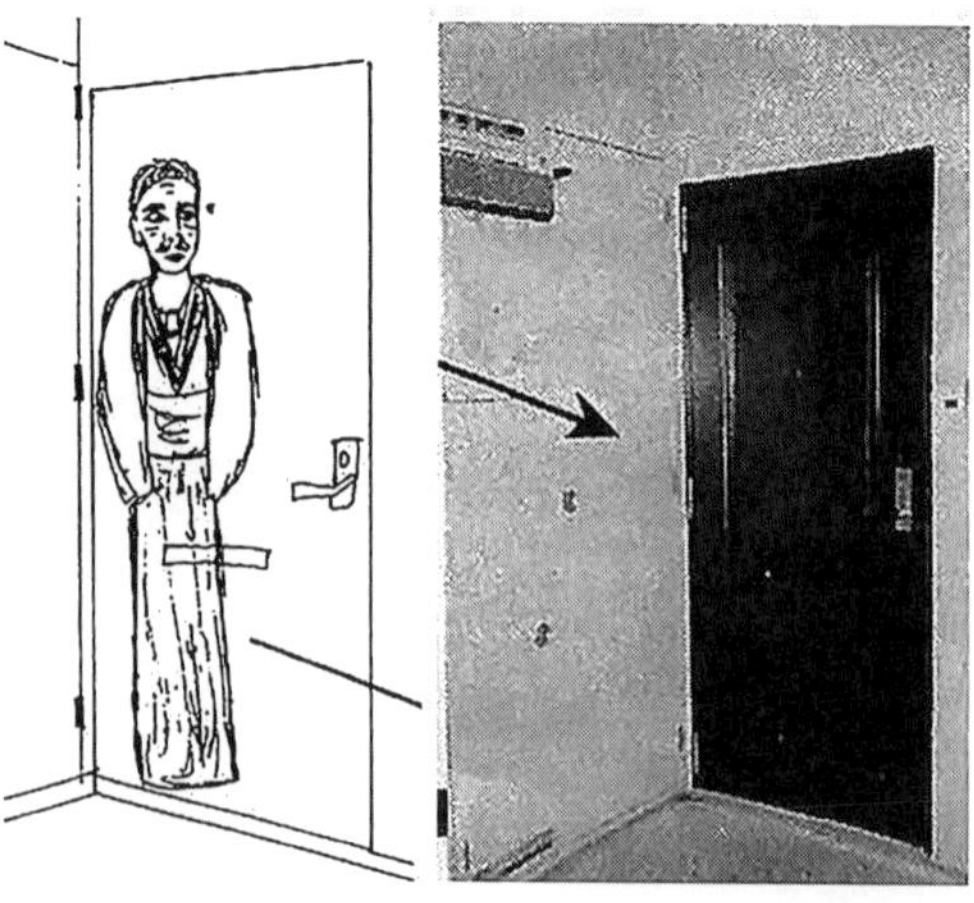

2000年10月13日、一連の騒動を地元紙である中日新聞が記事にしたことでマスコミが飛びつき、高畑住宅には多くの週刊誌の記者やテレビクルーが押し寄せることになる。出入りする住民にはマイクが向けられ、団地の広場は夜間でも照明が灯される。中には潜入取材を試みるメディアもあり、『週刊プレイ

霊能師の下ヨシ子氏が除霊を行い、騒動にピリオドが

ボーイ』の記者が怪現象が頻発する部屋に泊まり込み、入り口付近で目撃したという老人の霊の写真をイラスト付きで誌面に掲載。さらにテレビ朝日の報道番組「ニュースステーション」も特集を組み現場から中継放送を行った他、怪音の録音テープまで公開し「これは心霊の仕業では？」と騒ぎを煽った。

取材合戦が過熱する一方、全国各地から霊能者や降霊術師、宗教団体、あるいはそれらを自称する人物が現地を訪れ「みて（視て、診て）さしあげる」とか、「除霊してさしあげる」などと申し出が殺到。その中には最初から100万単位の金を要求する明らかに金銭目的の詐欺師の類もいたそうだ。

こうした騒動に終止符を打ったのが、当時新進気鋭の女性霊能師だった下《しも》ヨシ子氏である。彼女は霊視で高畑住宅における怪現象を「自分で作った刀で試し切りされた刀鍛冶職人」「冤罪で処刑された男」「ポルトガル宣教師2人」の計4人の霊によるものと断定したうえで、同年11月28日~30日にかけて弟子数十名を従え除霊を実施。以降、因果関係は不明ながらポルターガイスト現象は急速に下火になる。

ちなみに、高畑住宅は今も存在しており、騒ぎの中心となったA棟以外にもB棟、C棟が建てられたものの、現在では当時を知る住民はほとんど残っていないそうだ。

カネット・ディ・カロニア連続発火事件

ベッドやソファー、電源を切っていた電化製品が突然炎上

2003年12月23日、イタリア南部シチリア島の人口わずか150人の村、カネット・ディ・カロニアの1軒の民家で突然、テレビが爆発した。翌2004年2月9日には2軒の住宅で発火。いずれも原因は不明だったが、その後も発火現象は収まらず、同年3月までに計92件の謎の発火事件が起きる。

警察は当初、悪質な放火魔の犯行だと考えていた。しかし、住民の考えは違った。発火現象は、日中に人が居るリビングですら起きていたからだ。報告によれば、ベッドやソファー、水道管や冷蔵庫、掃除機や電子レンジ、さらには携帯電話からも突然発火し、電化製品に至っては、時に電源を切っていたにもかかわらず炎上したという。

当局はあらゆる原因を探った。まずはコンセントに給電される電圧異常を疑い、住民を避難させたうえで村に電力を供給している会社に連絡し、電源供給をストップして村を調査した。が、それでも火災は止まらず、今度は調査のために地質学者や物理学者、火山学者（シチリアには有名なエトナ火山がある）など、あらゆる分野の専門家を招集して事件の究明を行ったものの、結局原因はわからなかった。

やがて、人々の間では悪魔の仕業説まで囁かれるようになり、霊媒師を呼んでお祓いを行い、2007年には異星人による〝謎の電磁放射〟が原因であるとする仮説さえ新聞に掲載された。その後、専門家に

2004年、突然発火した住宅

よるさらなる調査のうえ、2008年6月、警察は本件に関する捜査を打ち切る。単なる放火事件であるというのが最終結論だったが、犯人には触れないままだった。

それから7年。カネット・ディ・カロニアは再び元の静かな村に戻ったかにみえた。しかし、2014年7月から再び連続して発火事件が発生する。最初はある民家で椅子から突然火の手が上がり、その数時間後には、別の民家で折り畳んだ衣服が突然燃え上がった。さらには別の民家で車が炎上し、また同じ頃に違う家では本やソファーが焦げた。

2015年3月、イタリア軍警察は1組の親子を放火、詐欺準備、不審火と関連させた虚報の流布の疑いで逮捕する。発火事件が再発した時期から街中に隠しカメラを設置していたところ、親子が放火をしている様子が約40件確認されたのだという。しかし、2003年〜2004年にかけて起きた発火事件は彼らの仕業とされていないことに加え、発火があまりにも不可思議な状態で発生したこともあり、住民は今後もどこかで謎の発火現象が起きるのでないかと怯えているそうだ。

苗山事件

能登半島地震の被災状況を伝える電話の最中に起きた珍現象

ネット上で現在も語り継がれている放送事故がある。2007年に起きた能登半島地震で、NHKのアナウンサーが被災地の苗山《なえやま》さんと電話で話している途中で、相手の苗山さんが別人物になり変わったとされる、いわゆる「苗山事件」だ。ご存知の方も少なくないかもしれないが、今や都市伝説と化した当事件の経緯を振り返ってみよう。

2007年3月25日午前9時41分、石川県輪島市西南西沖40キロを震源地とするマグニチュード6・9の地震が発生、穴水町《あなみずまち》、輪島市《わじまし》、七尾市《ななおし》で最大震度6強を観測した。NHKはすぐに緊急特別番組を組み被害状況を伝え、午前11時40分頃、被災地である石川県中能登町《なかのとまち》役場総務課に勤務する苗山さんと電話中継を結ぶ。以下、その一問一答である。

アナ「あの役場に向かう道の途中で、なにかこうガラスが割れたりだとか、信号が止まっていたりとか、被害と考えられるような情景はご覧になりましたか?」

苗山「え〜え、すぐ停電になりまして。こちらの方に来たんですけれども、え〜、町民の方、みなさん、〜、驚かれましてですね〜、あの外の方に避難で出られておりましたが」

アナ「あの～ケガをされたり、ガラスが割れたり、壁が落ちてきたりというような状況はありましたか？」
苗山「はい、今のところはまだ入っておりません」
アナ「まだないですか。ただその停電になったとおっしゃいましたね」
苗山「はい」
アナ「今あの、そちらの中能登町役場は」
苗山「はい」
アナ「庁舎内は停電になっていますか？」
苗山「いや、あの～、ここはなっておりません」
アナ「あ～、そうですか」
苗山「それとですね、すぐそういう事態になれば、非常発電もありますので、それについてはもう機能的に」

※ここで突然音声が途切れ、数秒後に復旧。

アナ「もしもし？」
苗山「はい！」（明らかに声が若々しい）
アナ「あ、あの～引き続き苗山さんでしょうか？」
苗山「はい？」
アナ「あ、もしもし」

苗山「はい」
アナ「電話の方、代わられましたですか？」
苗山「いえ、代わっておりません」（1・5倍速のようなスピード）
アナ「あ、あの〜、苗山さんですね？　あの今も、信号機の停電などは確認、停電によって信号機が、例えばあの、止まっていたりなどというようなことはあるでしょうか？　いかがでしょうか？」
苗山「（食い気味に）復旧しております」（2倍速のようなスピード）
アナ「あ、復旧していますか。はい。わかりました。ありがとうございました、情報収集の途中、ありがとうございました」

最初に出た苗山さんは温厚そうな落ち着いた声の主だったが、回線切断・復旧後に会話したのはトーンも語り口も違う男性。明らかに違う人物で、そのことに気づいたアナウンサーも確認しているが、後半の男性は一瞬「はい？」と疑問を感じさせるような返答をしつつも、その後、電話は代わってないと断言している。いったい、どういうことなのか。

考えられる可能性は2つ。1つは音声ミスだ。音声が復旧した後の苗山さん（と思われる人物）の声は1・5倍速〜2倍速になっているかのように聞こえる。これは地震直後、被災地と電話が繋がりにくい状況になっており、そんななか電話回線に何らかの異常が起きたとする説だ。ただ、話し方が明らかに異な

一連のやり取りはYouTubeにアップされている

るため、これは説得力に欠ける。2つ目は電話中、苗山さんが電話の内線ボタンか何かを押してしまい役場の違う部署の男性職員が電話を取ったところアナウンサーと繋がってしまった、もしくは苗山さんが途中で忙しくなり部下に代わった可能性だ。「引き続き苗山さんでしょうか?」と聞かれ「はい?」と聞き返したものの、話がややこしくなるので、そのまま苗山さんとして対応したことは十分に考えられる。

ネットの情報によれば、真偽を確かめるため役場に問い合わせたり、直接出向いた者もいるらしい。が、明確な答えは得られず、現在も真相はわかっていない。

本当にあった「真性異言」と「生まれ変わり」の戦慄

学んだこともない言語を話し、前世の記憶を詳細に供述

2010年8月5日放送のフジテレビ系「奇跡体験！アンビリバボー」で1人の主婦が紹介された。東海地方に住む1958年生まれの彼女は脊椎の持病の痛みを軽減させるため催眠療法を受けていた。これは患者を催眠状態にして過去の記憶を遡りストレスの原因を探る「退行催眠治療」というもので、異変はその途中、突然起きた。主婦が日本語ではない言語で何かを話し出したのだ。驚いた療法士が中部大学で言語学を研究しているチームに解析を依頼したところ、彼女はネパール語で「自分はナル村という村の村長で、タマン族の男性ラタラジューだ」と語っているということが判明した。が、彼女はネパール語を学んだこともなければ、ネパールに行ったことも一度もないという。そこで、同大学の研究チームの立ち会いのもと、日本語を話せるネパール人に催眠状態の主婦にネパール語で質問したところ、彼女はネパール語で24分間会話した。その言葉によれば、ラタラジューはネパールのゴルカ地方のナル村という村の村長で、父親と妻と子供が2人。父の名前はタマリ、妻はラメリ、息子はクジャウス、娘はアディス。若い頃に兵士として戦場に赴いた経験があり、腹部の病気で死亡したのだそうだ。

ネパール語で過去の記憶を語る日本人主婦を紹介した
2010年8月5日オンエアの「奇跡体験！アンビリバボー」

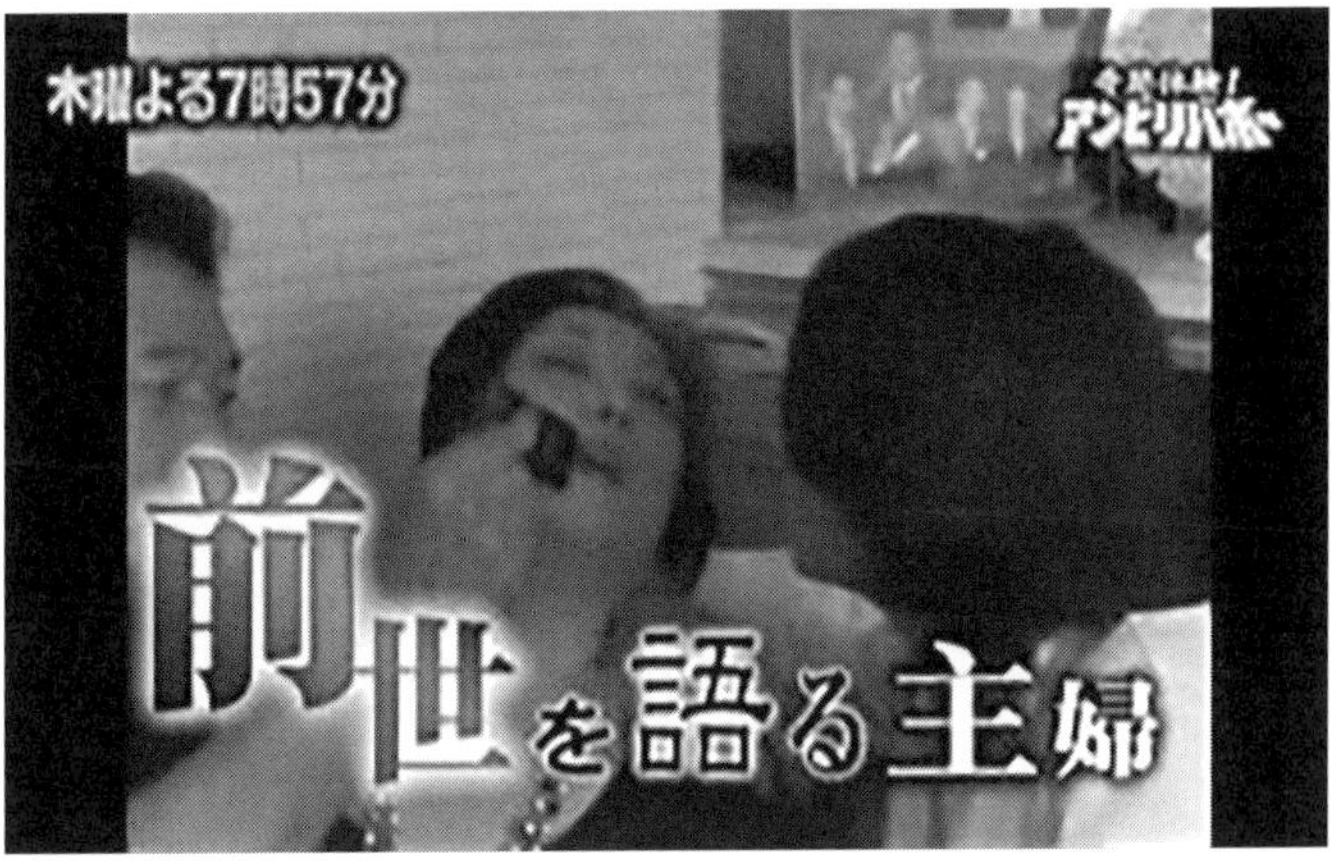

番組では取材班をネパールに送り現地取材を試みた。ナル村は確かに存在した。しかし、ナル村でラタラジューを知るものはいなかった。取材班は戸籍を調べようとしたが、ネパールで最初に国勢調査が行われたのは１９５８年。それ以前の戸籍はなく、同年生まれの彼女の前世は当然それ以前で確かめようがなかった。念のため、現地の役人に催眠状態の彼女の映像を見てもらうと、役人は名前がラタラジューではなく、ラトナラージュに聞こえると証言。ただし、ラトナラージュは15年前に死んだそうで、これでは１９５８年生まれの彼女の記憶と辻褄が合わなくなってしまう。しかし、取材班はナル村の歴史に詳しいという村の最高齢の男性の息子から、村の中では数少ない、若い頃に兵士として働いたことがあるラナバハトゥルという人物が昔、ナル村にいたという情報を得る。さっそくラナバハトゥルの孫の家に訪れると、その辺りは彼女が描いたナル村の風景のスケッチに酷似していた。が、ラナバハトゥルの孫の話では彼が死んだのは40年前で、またもや辻褄が合わなくなってしまった。ナル村では死

人を埋葬して墓を作る習慣がないのでこれ以上の調査は不可能になったという。

このように学んだことのない言語を突如話し出す原因不明の不思議な現象を「真性異言《しんせいいげん》」と呼ぶ。これは、前世が存在したことを証明しうる現象で、世界でも他に4例しか確認されていないそうだ。ただ、言語は変わらずとも前世の経験を鮮明に語る子供たちの例は数多く報告されている。2008年、米バージニア大学医学博士で精神科医のジム・タッカー博士は、いわゆる「生まれ変わり」の可能性がある事例を雑誌に投稿した。

アメリカ中西部にライアンという名の男の子が住んでいた。彼は4歳の頃に頻繁に悪夢に襲われ、5歳になったある日、突然「僕は昔は別の人間だったんだ」と母親に告げ、過去の記憶を話しだした。自分はハリウッドの「rox」という文字を含む住所に暮らしておりブロードウェイで踊っていた、従業員が頻繁に名前を変える事務所で働いていた、女優のリタ・ヘイワースに会ったことがある云々。当然、母親は息子の話を信じようとしなかったが、念のため地元の図書館でハリウッドについて書かれた本を調べ驚愕する。そこに、ライアンが具体的に話した人物にそのまま当てはまる写真と記述があったからだ。

母親から助けを求められたタッカー博士がハリウッドの公文書保管庫に問い合わせたところ、ほどなく担当者から返答があった。母親が図書館で見つけた写真は1932年の映画「ナイト・アフター・ナイト」のもので、男の名前はマーティー・マーティン。映画のエキストラからハリウッドエージェントになり1964年に他界していたことが判明。彼はブロードウェイで踊ったこともあり、顧客用にステージ

1932年のハリウッド映画「ナイト・アフター・ナイト」。
写真右が、ライアンがその詳細なプロフィールを話したマーティー・マーティン

ネームがころころと変わる事務所に勤めていた。そして、当時の住所はビバリーヒルズの「825 North Roxbury Drive」。全てライアンの言ったとおりで、彼は男の正体が明らかになる前に、マーティーが何回結婚し、何人子供がいて、2人の姉がおり、アフリカ系アメリカ人のメイドを雇っていたこともタッカー博士に話していたという。

「輪廻転生《りんねてんしょう》」という言葉があるが、この事実を前にしては、もはやライアンはマーティーの生まれ変わりとしか考えようがない。ちなみに、タッカー博士によれば、前世の記憶を持つ者の全てが4、5歳の子供でその後記憶が薄れていくらしく、ライアンも大人になるにつれマーティーの記憶を徐々に喪失していったそうだ。

ホンジュラス・ヨロの「魚の雨」現象

1世紀半以上も前から毎年、大量の魚が路上に落下

一定範囲に多数の物体が落下する現象のうち、雨・雪・黄砂・隕石のようなよく知られた原因によるものを除く〝その場にあるはずのないもの〟が空から降ってくる現象を「ファフロツキーズ」もしくは「怪雨」と呼ぶ。古くは1876年3月、米ケンタッキー州バス郡に赤身肉の断片が降り注いだ「ケンタッキー肉の雨事件」（アメリカハゲタカのような猛禽類が食べた肉を吐き出したものと推定されている）が有名だが、中米ホンジュラス北部に位置する小さな街・ヨロでは、毎年5月～6月にかけ空から大量の魚が降ってきて、しかもその落下の光景を誰一人見たことがないという珍現象が続いている。

事の始まりは1850年代、もしくは1860年代。ホセ・マヌエル・スビラーナというスペイン人宣教師がこの地を訪れ住民の困窮を目の当たりにした。彼は三日三晩祈りを捧げ、彼らに食べ物を与えてくれるよう神に懇願。するとある日、空が暗くなり、突然空から魚が降ってきたという。これが最初の「魚の雨」現象で、以来1世紀半以上も続き、地元の人々は不気味がるどころか、奇跡として崇めているという。

1970年、研究者チームがたまたまヨロに滞在していた際、「魚の雨」現象が起こった。やはりこのときも実際に魚が降ってきたところを目撃した者はいなかったが、確かに地面にはたくさんの魚が散乱し、

珍現象は毎年5月から6月にかけて起きるそうだ

それらは一様に目が退化し、この地域で見られる種類の魚ではなかったという。このことから、魚は地下の川か洞窟のような場所に生息している種で光が届かないため目が退化したもので、大雨で地下の水域が氾濫し、そこにいた魚が地上に出てきてしまったのだという説が浮上した。もう一つは、水面上に発生する円柱状の強い渦（ウォータースパウト）が、水と魚を一緒に吸い上げ、内陸へ運んでぶちまけたという可能性だ。ただ、ヨロの街が大西洋岸から72キロも内陸にあることを考えると、この説は弱い。竜巻が魚を陸へ運ぶことはあるが、これほどの長い距離は現実的ではないからだ。

現在も「魚の雨」現象の原因は解明されていない。ただ、地元の住民はこれを見たさに世界中の観光客が押し寄せるため、今後も奇跡が続くことを願っているという。

プエルト・エスコンディードのビーチが海に飲み込まれた謎

メキシコ南部の沿岸で、なぜこの場所だけが？

プエルト・エスコンディードはメキシコ南部オアハカ州に属する都市である。人口は約2万5千人と多くないが、太平洋に面した街の沿岸は「メキシカン・パイプライン」「メヒ・パイプ」と呼ばれる巨大な波が押し寄せることでサーフィン、サーフボードのメッカとして知られ、ビーチは毎年多くの観光客や地元住民らで賑わっている。2019年9月17日、その人気リゾート地を写した衝撃的な画像がツイッターに投稿された。写真を見てもおわかりのとおり、侵食により海岸沿いがごっそりと波に削られ、大きな段差ができてしまったのだ。

この現象は、質の異なる波の〝うねり〟により発生したものだという。表面動波のうねりは、数千マイル離れた嵐によって発生し、局所的な風の影響を受けずに海面上昇を引き起こす。これは満潮時とは異なるもので、ビーチの砂を削り取り海に沈めてしまう事態を招く。もっとも、うねりは世界中で発生し、オーストラリアとアメリカ大陸の間に吹く強風は障害物なしで1万キロメートル以上の距離を移動すると、メキシコ沿岸にたどり着いたときには特に強い風となり、このような極端な侵食が起きても不思議ではな

Twitterに投稿された侵食の様子を捉えた写真

い。しかし、不可解なのはメキシコ南部には他にも数多くの人気ビーチが存在するにもかかわらず、同様の現象が発生しているのはプエルト・エスコンディードのビーチのみという点で、２０１８年5月にも同レベルの侵食があったそうだ。

なぜ当ビーチだけが、このような被害を受けるのか。原因はわかっていないが、オアハカ州市民保護局は今後も繰り返し甚大な侵食が起こる危険性があるとして付近住民と観光客に現場に近づかないよう警告を促すと同時に、沿岸地帯に位置する36の街にも注意喚起しているそうだ。

英ホルムフィールドの怪音

昼夜問わず「ブーン」という不快なノイズが鳴り響く

英ウエスト・ヨークシャー、ハリファックスにあるホルムフィールドという村で、2019年から原因不明の怪音が鳴り続けている。それは洗濯機や冷蔵庫が放つ「ブーン」という音に似た不快なもので、周波数範囲は約10ヘルツから200ヘルツ。音は家の中にいるときに限って聞こえ、村が静かな夜になると一層大きくなるという。当然ながら住民への影響は深刻で、耳栓をしても入り込んでくる音に悩み1日中ヘッドフォンで大音量の音楽を流す人もいれば、睡眠障害を引き起こした者、中には耐えきれず村を出ていった人もいるそうだ。

ホルムフィールドの集落は谷の底に位置し、風力タービンを含む多くの工業団地に囲まれている。そのため当初、住人たちは音の原因は地元の工業団地にあると考えていた。が、2020年に村民が提出した嘆願書がきっかけで、評議会が調査に乗り出したものの怪音の発生源は不明。結局原因がわからないまま調査は打ち切られ、現在も怪音は野放しだ。

同じような怪音被害はカナダのオンタリオ州の都市ウィンザーでも起きている。市の名から「ウィンザーハム」と呼ばれるこのノイズが発生したのは2010年。音色は超低音域用スピーカーのような音、アイドリングするディーゼルエンジン、「スタートレック」でワープしようとしているエンタープライズ号

ノイズに悩まされ続けているホルムフィールド村の住民

など様々に形容されているが、ホルムフィールドと同様、住民に酷い頭痛や寝不足、苛立ち、うつといった健康被害を生じさせている他、不安神経症で治療を受けている動物もいるそうだ。

原因として有力視されているのが、USスチール社がザグアイランド付近に所有する溶鉱炉との関連で、2016年には同社の責任が判明した場合は相応の対応を取る旨の要請が提出されたうえで調査が行われたものの、特定までには至らなかった。今も昼夜問わず鳴り響く怪音に悩まされ続けているホルムフィールドやウィンザーの住民にとっては、このまま我慢するか、別の地域に転居するか、その二択しかないのが現状である。

台湾・高雄市鼓山、一家憑依事件

家族同士で殴り合い、糞尿を食べ、長女が多臓器不全で死亡

2005年2月末、台湾・高雄《たかお》市鼓山《こざん》区に住む当時56歳のペンキ職人の呉《ご》夫婦が家の廟《びょう》で参拝をしているとき、見知らぬ道士《どうし》（僧侶）から「中に不浄なものがある」と告げられた。不安を覚えた夫婦が知り合いの道士を呼びお祓いしてもらったところ、家の中に祀っている哪《な》吒三太子《たさんたいし》の像を移動すべきと提言され、そのとおりにした。

呉家に不思議な現象が起きるのはここからだ。帰宅した大学生の三女が突然、台北で飲食店で働いている29歳の長女をすぐに高雄に戻させないと子供に先立たれると不穏な言葉を口にした。それを哪吒三太子のお告げと捉えた母親はその日のうちに長女を帰宅させたが、長女は以降、夜眠るたび性的暴行を受ける悪夢を見るようになる。

3月初旬、そんな長女のもとに見知らぬ人物から電話がかかってきた。と、彼女に憑依の現象が起こり「観音菩薩像こそが人々のために災害をなくす」と叫ぶと同時に、素手で自らを殴打する不可解な行動

呉家に祀られていた哪吒三太子

を取り始める。驚いた家族は長女を落ち着かせるため台湾・新竹県《しんちく》にある五指山《ごしざん》に瞑想修行に連れていったものの状態は改善されなかったどころか、他の家族にも憑依現象が現れる。父親は人間の善悪を審査する民間信仰の最高位の神・玉皇大帝《ぎょくこうたいてい》、母親は全ての女仙を支配する西王母《せいおうぼ》、その他3人の子供が玉皇大帝と西王母の7人の娘・七仙女《しちせんじょ》、臨済宗の高僧・済公《さいこう》などと自称し始めたのである。

一家6人は憑依状態の間、耐えず自傷行為のみならず、各々が神主牌（戒名や法名を記した位牌）を握りしめ杖や棍棒で互いを殴ったり、火のついた線香を他の家族に押しつけたり、熱湯を浴びせヤケドを負わせた他、魔除けになると尿を塗りたくったり、大便を食べるなどの異常行動に出て、この状態は20日間ほど続いたという。

そして4月9日、最悪な事態が起きる。ベッドの上で泡を吹いている長女を家族が発見、手足が冷たくなり息もしていない彼女に看護師である次女が心肺蘇生を試みたのだが、5分もしないうちに家族全員がその場を離れてしまう。彼らは長女に邪霊が取りついたものと捉え、本人を病院に連れていかなかったそうだ。異変から2日後、反応がない状態が続く長女のことを心配した父親が近所に連絡し、近隣住民の通報により彼女は救急搬送される。が、時すでに遅く、長女は病院で死亡が確認される。直接の死因は何日も食事を摂らなかったことによる多臓器不全だった。

しかし、病院側は長女の体に多数の青あざがあったことから警察に捜査を依頼。取り調べに対し家族5人は再び何かに取りつかれることに怯え、長女は死んでいないと言い張った。が、彼らの体には線香を押し当てた多数のヤケドの跡があり、母親はそれが両頬にまで達していた。明らかな異常事態に警察が尋問を続けたところ、家族は「霊と話した」などと証言。さらに現場検証の結果、家のあらゆる窓に御札が貼られ、窓の外には干された多くの黒い服、祭壇の脇の壁は20日間、燃やし続けた線香により黒く燻されているのが判明した。

近隣住民の証言によれば、呉家は三太子をはじめ様々な神を信仰、屋内には複数の異なる神像や仏像が祀られていたが、長女に異変が生じて以降、それらを一掃したそうだ。風水に詳しい評論家によれば、こうした行為は殺気を増幅させる形勢風水の影響をもたらし、家に霊が集まってくる「凶宅」が完成、その結果、呉家全員の体に邪霊が招き寄せられたのではないかという。実際、呉家では以前に家の風水を見てもらうため自宅に霊能者を呼んだことがあったが、その霊能者は屋内に足を踏み入れた途端「邪悪な霊が充満しているのが見えた」と話していたそうだ。

いずれにせよ常人には到底理解不能な状況に警察は困り果て、検察の指示で5人は精神鑑定にかけられる。結果、呉家の人々は感応性妄想性障害との見解が示されたものの精神疾患はないと判断され、検察は5人を遺棄致死罪で起訴。しかし、裁判所は長女の死は多臓器不全で外的要因によるものではないとしこの事件を題材に作られたNetflixオリジナルのホラー映画「呪詛」

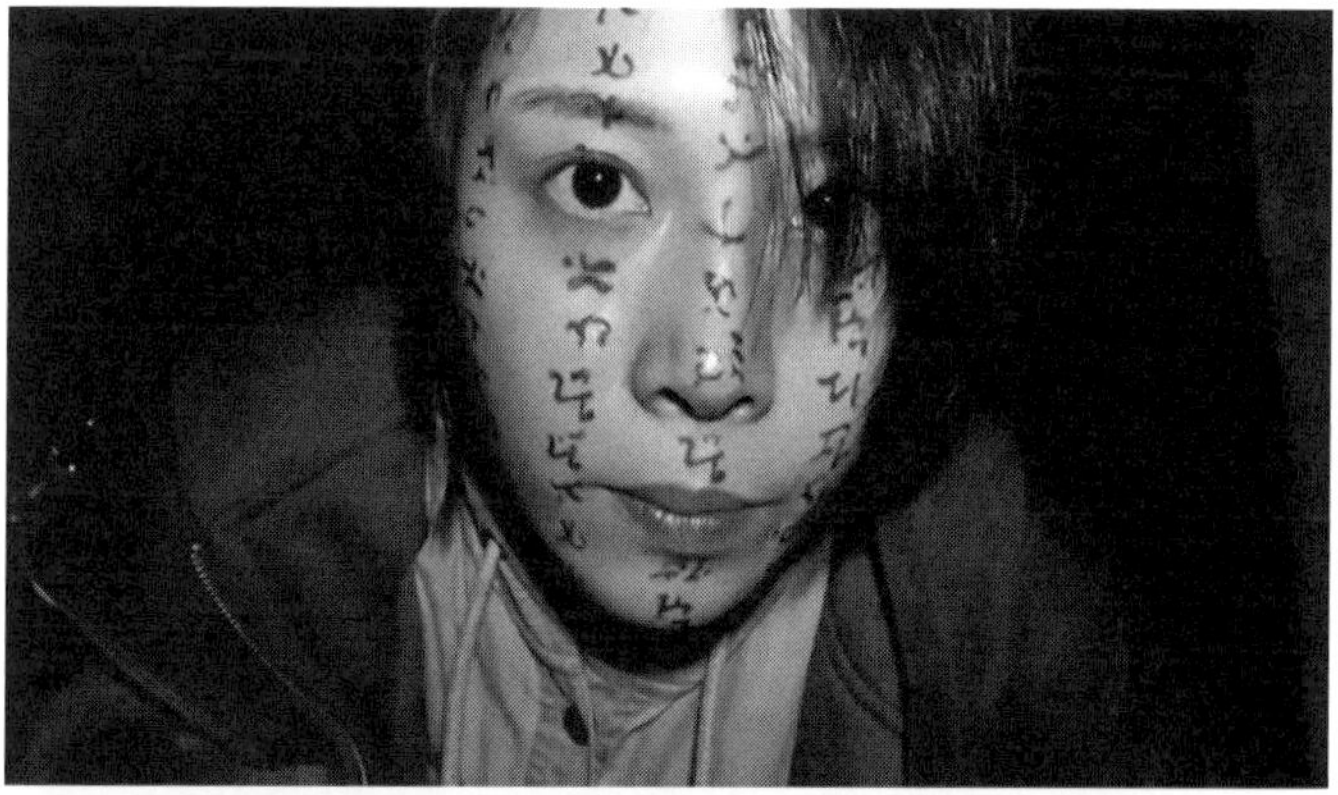

て全員に無罪判決を下す。その後、呉家には平穏な暮らしが戻ったが、近隣住民は本件に関して一切口にしなくなったそうだ。
　ちなみに、2022年7月からネットフリックスで配信されているホラー映画「呪詛《じゅそ》」は本事件をモチーフに製作された。

謎と闇に覆われた

恐怖の未解決ミステリー

2023年3月25日　第1刷発行
2023年4月13日　第2刷発行

編　著　鉄人ノンフィクション編集部

発行人　尾形誠規

発行所　株式会社　鉄人社
〒162-0801 東京都新宿区山吹町332 オフィス87ビル3F
TEL 03-3528-9801　FAX 03-3528-9802
http://tetsujinsya.co.jp/

デザイン　鈴木 恵（細工場）

印刷・製本　新灯印刷株式会社

主な参考サイト

Wikipedia　Mysterious Universe　The Sun　文春オンライン　朝日新聞デジタル
BBCニュース・ジャパン　殺人博物館　TOCANA　Yahooニュース　CNN　ニューヨークタイムズ
ABEMA TIMES　ABCニュース　エキサイトニュース　Buzzfeed　神戸新聞NEXT
FRIDAYデジタル　カラパイア　ザ！世界仰天ニュース　世界の猟奇殺人者　woodtv
mysteriesrunsolved　journalnews　実在事件ファイル　ヒストリア・オンライン　カウンター・カルチャー
THE LINEUP　アバーク　事件インデックス　WONDIA　アナエンタ　聯合ニュース　モナニュース
ニュース速報Japan　ailovei　俊平の雑学研究所　エンタMEGA　MLive
裁判判例と未解決事件データベース　マトリョーシカ　NewSee　NHK NEWS WEB　シェアチューブ
陸奥新報　デーリー東北　アートをめぐるおもち　Roanoke　リアルライブ　Alizona*銀の月*　ミドルエッジ
minnashinda　全国怪奇現象ファイル　441 notepad　デイリーニュースオンライン　宗教情報センター

YouTube

話題の事件　怖い事件　世の中の闇　名探偵ペケ　事件と社會と人生と　今宵の事件考察
しばいぬ探偵事務所　キリン　ターロウトーキー海外ミステリー　ミステリー劇場　はじげ
みんなで語る未解決事件

ISBN978-4-86537-255-7　C0076　

本書へのご意見、お問い合わせは直接、弊社までお寄せくださるようお願いします。